王朔——著

谁比谁傻多少

北京出版集团公司
北京十月文艺出版社

目录

谁比谁傻多少

编辑部刚上班，于德利就嚷：“怎么一转眼就没了？”说着便到刘书友桌上乱翻。

老刘不高兴：“干吗？我这儿没你东西。”

“那可没准儿。”于德利仍旧不歇手地翻找，“我好几回东西不见了都是在你这儿找着的。”

“你们看看你们看看。”老刘对两位女同胞牛大姐和戈玲喊冤，“把我当什么人了——我这么大岁数会偷你东西？”

“谁说你偷了？没拿就没拿，心虚什么？”于德利一无所获，但对老刘仍持怀疑态度。

“于德利，什么丢了大家可以帮你找，咱们这儿可没有小偷小摸的人。”牛大姐开口道，又对老刘温和地说，“老刘，你拿了他什么？”

刘书友气得一摊手：“我拿了吗？什么意思嘛！”

戈玲解劝于德利：“拿就拿了吧，想来不是什么贵重东西，多伤和气。”

老刘听了更气：“不行，一定得说清楚。”

还是坐在一边的李东宝问：“老于，什么没了？”

“一篇稿子找不着了。”于德利边重新翻自己桌上的书稿边嘟哝，“昨天我给老刘看过，下午还得跟作者谈意见。”

“我以为丢了什么呢。”戈玲说，“也怪你自己不收好了，好好想想搁哪儿了，别老一惊一乍的。”

“我记得老刘看完以后……没还我。”

“谁说没还你？亲手交到你手里当时你在打电话。”刘书友说，“自己马虎赖别的同志。”

“小于呀，这也是个教训。”牛大姐说，“工作是忙点，可也不能给你专门派个保姆管理稿件哪！还得自己平时多一份责任心。”

“没一个编辑部像我们这儿,连个编务都没有。”老刘嘀咕,“净弄些不识字的编辑。”

“是不是上厕所用了？”戈玲提示于德利，“你可是逮着什么抄什么。”

“我除了撕报纸从不用别的纸。”于德利坐下，苦苦思索，“昨儿下午谁来过？”

孙亚新在钉着人间指南编辑部牌子的敞开的门上敲了两下：“有人吗？”

李东宝转身指着孙亚新的裙子说：“我说的就是这种样式，大方吧？”

戈玲点头：“是不赖。”问孙亚新，“哪儿买的？”

“哦，从国外带回来的。”孙亚新说。

戈玲掉脸看自己涂了蔻丹的指甲。

于德利站起来，迎上前：“你们找谁？”

“找领导。”孙亚新莞尔一笑，招呼女伴，“进来吧。”

“我就是领导。”于德利大言不惭，也眼瞅那个不吭声的姑娘。

“他是吗？”孙亚新问死盯着她瞧的李东宝。

李东宝坚决地一摇头。

“我想找你们这儿真正负责的同志。”孙亚新温柔地坚持，“我并非一般来访。”

“能问一下你找我们领导有什么事吗？领导很忙。”

“噢，我姓孙。”孙亚新掏出一张名片递上去，“我是 OBM 公司的，公干——不是来告谁的。”

于德利看看名片，放到鼻前嗅嗅，两位小姐耐心地等着他。

“那好吧。”他终于说。对正欠身欲起指着自己鼻子张大嘴的老刘说：“不是找你的。”又冲抬头观望的牛大姐说：“也不是找你的。”走到主编门口喊：“老陈，出来一下。”

他回身搬过一把椅子拎到小姐们面前：“坐吧。”

“谢谢。”孙小姐在房中间拦路坐下。

于德利指使道：“牛大姐，把你的椅子让给人家。”

牛大姐气愤地站起来。

孙小姐忙阻拦：“没关系，不必客气，让她站着吧。”

“都坐。”于德利把牛大姐的椅子拽过来，椅子腿在地板上发出刺耳的摩擦声，“我们这儿没有等级观念。”

陈主编戴着套袖像个当铺会计走出来，“哪个字又不认识了？”

“两位小姐找你。”于德利向姑娘们偏偏头，自己让开。

孙小姐忙站起来，伸出瘦伶伶的手让老陈握，另只手同时递上一张名片：“OBM 公司孙亚新。”

“《人间指南》陈居仁，没有名片。”

“头儿，这是我们头儿。”于德利在一边说。

“坐吧。”陈主编坐在于德利位子上，招呼他：“看茶。”

于德利冲牛大姐和刘书友："看茶。"

两位老同志置若罔闻。

于德利只得自己沏了杯茶端上来，样子很有几分屈尊："只有一个杯子，两人喝一杯吧。"

孙小姐看都不看于德利，满脸堆笑地对陈主编说："我们公司您听说过吗？是专门生产现代化办公设备的。"

"嗯嗯。"陈主编似听非听地点头。

"什么复印机啦传真机啦文字处理机等等等等。也许贵编辑部现在使用的就有我公司产品。"

"抱歉，没有。"陈主编说，"你说的这机那机我们一概没有。"

"就是说还停留在作坊的水平？"

"对，条件很简陋。"

"时代在前进，潮流在发展……"

"钱还是那些钱。"于德利插话，对另一位小姐微笑。

"是啊，"老陈说，"非常想变，可惜力不从心。"

"你要想推销那些什么机，还是回去吧。"牛大姐气呼呼地站在一旁喝茶，"呸呸"啐着喝进嘴里的茶叶。

"有那钱我们还发奖金呢。"于德利说，"你们奖金高吧？"

牛大姐白了于德利一眼："我们宁肯把刊物印得漂亮点，干净点，少登些乱七八糟的广告。"

"对对，我也不赞成有点钱就都分了，买些没用的东西。"孙小姐说，"但必要的，能提高工作效率的，能使我们把工作做得更好的——该花还是得花。"

"你很会说话呀。"陈主编欣赏地看着孙小姐，"你们老板一定很器重你吧？"

"她们老板肯定是个色鬼我敢打赌！"戈玲对李东宝说。

“都一样。”

“想不想跳槽儿到我这儿来干？”老陈笑眯眯的。

“有比我更好的你们要不要呢？”孙小姐截住牛大姐脱口欲出的话，“请让我把话说完，我不是来推销复印机电传打字机什么的。”再次转向陈主编，“是这样的，我们公司最近又推出第五代办公设备：人工智能秘书。”

所有人都抬起了头，茫然不解。

“怎么样，名字吸引人吧？我相信产品更能吸引你们。”

孙小姐含笑款款起立，袅袅走到那位一直端庄地侍立一旁的小姐身边，像讲解员介绍产品一样把手一摊，朗朗说道：“这种人工智能秘书具有人所具备的一切能力：听读说写看坐卧跪趴站，能随意行走并自动避让障碍物，服从命令听从指挥永不疲倦决无反抗。特别适合机关厂矿文化企事业单位的办公室工作。身兼秘书、公关、勤杂、保卫诸项功能，无一不专。可以最大限度减少办公室人浮于事、效率低下、互相扯皮等弊端……”

“等一等，等一等。”陈主编掏出老花镜，再三擦拭后，戴上，盯着那位纹丝不动的“小姐”，“你是说，她……她……”

“对，她是机器人。”孙小姐笑着拨开“小姐”的披肩发，露出脖子贴着的一块胶纸牌，对众人说：“你们看，这是她的出厂商标。”

大家呼啦围上来，头挨头地端详。

商标上印着中英文：人工智能秘书，美的因拆呐。

于德利骨碌碌转着眼珠儿，难以置信地盯着“小姐”的脸：“可是，这皮子又白又嫩，怎么会是假的呢？”

“仿生学嘛。”孙小姐说，“你们看我，实际上就是仿我的皮做的。”

李东宝伸手去摸“小姐”脸蛋，惊叫：“怎么会有体温？”

“没错。”孙小姐解释，“里面都是集成电路，当然会散热。我们把温度控制在三十六七度，跟真人一样。”

戈玲叫：“你们看，她还会眨眼睛呢。”

“你们挑不出毛病，我们连最细微的地方都考虑到了。不但能眨眼，还有呼吸，外表跟人一模一样，里边全是电脑——那位同志不要掀衣服。”

“哈罗，哈罗。”于德利冲“小姐”叫：“窝特尤内姆？”

“说汉语。”孙小姐说，“她听得懂。”

“你叫什么名字——她有名字吗？”

“南希。”“小姐”回答，声音婉转动听。

“你多大了？”戈玲抢着问。

“十八。”

众人愣了一下。

“这怎么回事？”于德利看孙小姐。

“噢，那是我们教她说的，好让人感到亲切，其实她刚出厂。”

刘书友凑到南希面前，伸出两只食指：“1+1 等于几？”

“2。”

“2+5 呢？”李东宝问。

“7。”

孙小姐说：“你们难不住她。她还知道党的总书记是谁，一个中心两个基本点指什么，一吨铝锭的国拨价是多少，美元对人民币的黑市比价，一身西服要几米料子，大白菜的四十七种吃法……”

“了不起，真了不起，有些我们还不知道呢。”众人交口称赞。

“她也能作诗什么的吗？”戈玲问。

“能。”孙小姐答：“特别是席慕蓉那种诗，张口就来。赶明儿你们谁不服，跟她下盘跳棋试试。”

“真惊人。”戈玲摸着南希的衣服，“这衣服是街上买的吗？”

“这是我们公司特制的，好在街上一眼能区别出来——你想要吗？”

“不，不！说说而已。”

“很别致是吧？为了不让顾客恐惧，我们是不惜血本。南希，请你对大家说：很高兴见到你们。”

南希：“很高兴见到你们。希望你们能喜欢我，在各个方面爱护我，待我像一家人朋友兄弟姐妹亲戚同事……”

“好了好了。”孙小姐打断她，“联想式的，不打断她，她能不停地说下去。”

“真不错，嘴真甜——现代科技都发展到这种程度了。”李东宝感叹，“我们还有什么造不出来？”

“别看不是人，比人还有礼貌。”陈主编也叹。

“她一定挺费电的吧？这么多功能。”牛大姐问孙小姐，“她是直流还是交流？”

“都不是。她是太阳能的，每天在太阳底下晒两小时就行了，科学吧？”

“科学，科学。”众人说。

李东宝把老陈拉到一边：“买一台吧，吃的是草，吐的是血。”

于德利也表示支持：“咱真得添个丫鬟了，这不比那些小保姆强多了？”

“好好。”老陈应着，转圈打量南希，拉着她手腕子捏捏，连声说，“不错，真不错，啋，还有脉搏？”

“噢，那是电流通过时的振频。”

“怪不得，有点麻酥酥的。”陈主编摘下花镜，仰脸问孙小姐，“这一台得多少钱？”

“人民币 15 万，您要给美元，我可以五八折给您。”

“不贵，真不贵，一个呆傻儿长这么大也不止这数。”陈主编对孙小姐做了个鬼脸，“就是买不起——兜里没钱。”

于德利问李东宝：“咱们使使劲儿能挣出来吗？”

李东宝摇头：“没戏，除非印一期反动黄色的。”

于德利：“孙小姐，咱们商量商量，不能便宜点吗——有没有功能少点还长这样儿的？”

李东宝：“我们是事业单位。”

“再便宜你们也买不起，就知道你们买不起。”孙小姐笑说，“我们推出南希前就做过市场调查，知道就我国目前的消费水平而言，南希，是超前了点儿。因此我们制定了一个打入市场的原则：目前以出租为主，等到小康了，再考虑销售。”

“远见卓识啊！”于德利点头。

“租一台得多少钱？”戈玲问。

“你们肯定出得起。”孙小姐说，“略超过一个国家科长的月平均工资，一百八十块钱一个月怎么样？”

几个好吃懒做的年轻人一起欣喜地瞅主编。

“价钱是真公道。”老陈说，“可咱们已经超编了，她越能干越多余。”

于德利吼起来：“我可以少干点！东宝戈玲都可以少干点！老牛老刘退休算了。”

“什么？我退休？”牛大姐急赤白脸地嚷，“亏你想得出来！”

老刘也愤愤不平：“不像话！”

“好了好了，”李东宝出来打圆场，对老陈说，“不在乎多一个两个的，人多干劲儿大，南希要真能把家里这摊儿顶起来，我和戈玲也可以多往外边跑跑，街上出什么新鲜事也都能在现场了。”

“机器人也是个新生事物，咱不支持谁支持？”戈玲也在一边帮腔儿。

“我明白我明白。”老陈对大家说，“既然大家这么有兴致，我也不能扫你们的兴。”他问孙小姐，“钱怎么付？是先给支票还是年底一块结？”

“都不必。”孙小姐说，“您就按月付给南希吧，你们多会儿发工资，就多会儿同时发给她。”

“那不好，丢了怎么办？”于德利担忧，“还是搁我这儿吧，我替她——不，替你们存着。”

孙小姐扑哧一笑：“她不比你傻，不但会认钱还会花钱。什么时候你们有空儿跟她逛回商场，会挑着呢——是不是南希？”

南希笑盈盈的：“多蒙夸奖。”

孙小姐告辞：“那好，我告辞了，感谢你们租用了南希。南希，在这儿好好干，多跟人学学，别摆机器人的架子。”

“晓得了。”南希答道。

“等等。”牛大姐叫住转身欲走的孙小姐，“她要犯了错误怎么办？你应该把修理她的技术告诉我们。”

“小错误就像人一样批评，够上罪了就送公安局。”孙小姐叮咛大家，“别忘了她是人工智能型的，跟人没什么两样。”

“有趣有趣。”

孙小姐走后，一屋人围着留下来的南希反复打量，兴奋得什么似的。

南希的确表现不俗。第二天大家一上班就发现办公室彻底变了个样，如果把过去的办公室比喻成猪圈，那么经过南希整理的编辑部就像银行的写字间。南希的主动工作精神和任劳任怨的程度堪与最著名的劳动模范媲美，无愧任何一级首长最热情洋溢的题词。

第一个到达的刘书友差点以为自己走错了门，愣了片刻才战战兢兢走进整洁美观的办公室，看到自己一尘不染的桌子脸上露出欣喜的微笑。

直到编辑们全体驾到，南希仍在手脚不停地忙，有条不紊地穿梭往返，脸上永远是春色。

如果她是个人，哪怕同样拿了这份工资，就该干这个，譬如司机、保姆、医生、商店售货员，受其服务的诸君也会惴惴不安，不用强迫就会竞相表现出感激不尽的嘴脸。

正因为她不是人，所以大家心安理得，最温良敦厚的陈主编也并无一个谢字。

牛大姐把家缝的椅子垫儿铺上，舒坦地坐下，端过茶杯，揭开盖：

“南希，泡茶。”

戈玲也大模大样敲着桌子，指杯子：“给我也斟上。”

南希一溜小跑地拎着暖瓶为每个人冲水，脚步踩得木地板吱吱响。

李东宝捂住杯子对南希说：“不，我不喝，谢谢。”又对戈玲说，“我记得你原来也不喝茶呀？”

“现在有条件了，就把这毛病添上。”戈玲对南希说，“把茶杯盖儿给我盖上。”

“不管，南希。”李东宝正色道，“我就见不得人压迫人。”

刘书友在那边喊：“南希，去把柜子里那本复写纸拿来。对，第二格，就是它，南希真聪明。”

戈玲笑：“瞧，我不指使也有人指使。”

牛大姐把一沓废稿纸揉成大大小小的纸团，一股脑扔进桌下的废纸篓，“南希，去，把这纸篓倒了。”她对老刘说，“谁不愿意干净整洁呢？”

“我算看出来了。”于德利对李东宝说，“这人打骨子里都是剥削阶级，一遇机会一个比一个狠。”

“也怪南希，没什么觉悟，以为她就该干，有空咱们多开导开导她。”

“我也正心里这么想，”于德利说，“过会儿我先找她个别谈谈。”

“就别分先后了。”李东宝想想说，“谁逮着谁谈，看谁的话她爱听。”

戈玲在一旁冷笑：“一个机器人，也打主意，真让人看不上。”

“不是戈玲，”李东宝说，“这你真把我们想庸俗了。”

南希倒完纸篓回来，李东宝和于德利一块喊，“南希。”

李东宝招手：“先到我这儿来。”

牛大姐在一旁提醒南希：“今天的来稿信件你还没分呢，我这儿干坐着等呢。”

“我帮你干。”于德利殷勤地陪着南希一同分拆稿件，按类划分，送给各编辑。

他有意大声让全屋人听见：“南希，谁叫你也别理了，你忙了一早晨，该歇会儿了。不要总觉得低人一等，机器人也是……也跟人差不……就算差点，也不能干起来不让停，也得有时有晌，收音机老开着还能烧了呢。”

牛大姐哼了一鼻子对老刘说：“你以为他是主持正义吗？”

“纯属煽动——要是个男机器人呢？”

于德利请南希坐下，把自己的印有“抗美援朝纪念”的搪瓷缸子递过去：

“坐吧，喝水吗？噢，对了，你喝不惯这个，回头我到汽车班给你偷一暖瓶柴油。这么着吧，你晒晒太阳。”

于德利把椅子挪到窗口阳光处让南希重新坐下，自己叉着腿站在她面前：

“头一回和人打交道吧？”

“是。”南希回答，态度恭敬。

“还适应吗？”

“我刚出厂到动物园试用几天，喂狼。你们看着顺眼多了。”

“防着点，别看我们比狼长得漂亮。这人和你们机器人可不一样，区别大了，看着都一个鼻子俩眼儿，怀里揣的心啊肺啊可不像你们都是一个型号。”

“是吗？”

“要不怎么说你们是机器人呢，好赖都听不出来。他们造你们的时候都没教吧？光给你们输了个实心眼的软件？”

“对，教我要老实、听话，让干啥干啥，讲文明讲礼貌对任何人不笑不说话，谦虚谨慎，有则改之无则加勉与人为善见利就让……”

“给你们也说这个？”于德利大惊，对东宝戈玲，“你们听听，听见了吧？跟人家机器人也说这个。”

“真害人。”李东宝问南希，“你这样的算什么型号？”

“先锋Ⅱ型。”

“难怪。”

于德利开导南希：“这都是我们人和人念的经，内部掌握，不是跟谁都这样。对好人，譬如像我这样的，可以。对有的人，譬如……坏人什么的，那得横眉冷对——你悬了悬了，一点阶级观念都没有。”

“造南希的公司太不负责。”李东宝也说，“输这么个软件最起码也该配套一个校正分辨系统，瞄准镜什么的，专瞄好人。就这么把这帮机器人放到社会上，不出三天就得被人拐了卖了，都不知道找谁使钱去——亏他们也放心！“

戈玲：“不是自个儿孩子呗。”

“我们有，安了，怎么分辨好人坏人。”南希说，“还真让你说中了，我们Ⅰ型没这套识别系统，现在都丢光了，听说还有卖到台湾窑子的。”

“你过来你过来。”李东宝感兴趣地把南希唤过来，“你给我们讲讲，多大口径是好人，什么尺寸是坏人？”

牛大姐和刘书友也凑过来：“让我们也听听怎么识别好坏人，我们都这么大岁数了还净上当。”

“很简单，”南希一指于德利，“像他这样的，自称是好人的，一准儿是坏人。”

大家“哗”地笑了。

于德利嚷嚷：“怎么这么说？没道理嘛，你的设计师是谁？”

“我们的预警系统是这么工作的：男性、汉族，无论老少，满脸堆笑凑过来，红灯就亮了，提醒我们：危险。要是他进一步表示关心，言辞动听，危险计数器就开始倒计数。如果他开口说别人坏话单独表扬自己，警笛就会‘嘟嘟’响起来，这时，无论他再说什么，是请吃饭还是请听歌，电源都会自动切断，同时把这人的语调音频变为数码储入记忆。以后不管在什么地方再见着这人，只要他一张嘴，电源就跳闸——现在我的警笛已经响了。”

南希含笑看着目瞪口呆的于德利。

于德利猛醒，掩口后退：“你别跳闸，千万别，我不言语了还不成吗？”

“哎，我再打听打听。”李东宝更近地凑上来，“判断这人是好人都有哪些原则？是不是张嘴就骂抬手就打鼻子不是鼻子脸不是脸的就是好人？”

南希笑道：“那也不是——不能告诉你。好人的标准属于绝密，万一泄了密，你们都该装好人了，两句话一说我就任你们为所欲为了。”

“还挺贫，南希。”戈玲颇有好感地对南希说：“你这北京口音够正的。”

“我的设计师是北京人。”南希收住笑答道。

“你这个设计师社会经验一定挺丰富。”牛大姐问，“他还教你什么了？”

“什么都教了。”南希说，“举例说，刚到一个新环境，一定要先给人一个好印象，干活儿主动点，多受点累，等以后混熟了，情况摸清了，再偷懒也不迟。”

大家都愣了。

“还有，跟领导关系要搞好，跟群众关系也要搞好。特别要注意靠拢落后群众，落后群众往往在单位挺有势力，得罪了他们比得罪了领导日子还难过。”

“哎哟，你一定得给我引见引见你那位设计师，我要当面向他请教。”李东宝激动地对戈玲说，“这么些年了，我还是头一回佩服一个人。”

“我听着也神往。”戈玲叹道。

“那你们俩开顿饭吧。”南希说，“我那设计师没饭局不来。”

李东宝感慨地对于德利说：“你听听这话，多有水平，咱们还想开导人家呢，倒让人给咱上了一课。”

于德利一脸惭愧：“我真是，以为自己能呢。”

南希很快和大家混熟了。混熟的标志是大家不再过分地注视她，虽然她的一举一动仍使所有人暗暗怀有兴趣。

编辑部的工作并不很紧张，那些杂务一个普通的家庭都要比之烦琐得多，对南希来说，可以轻而易举地完成不费什么气力。她常常是迅速地料理完便闲站在一边了，如同一个擀皮高手同时供好几个人包饺子仍犹有闲暇。

她姣好的面容和动听的嗓音以及浑身勃发的青春气质使编辑部无端地添了些愉悦轻松的气氛，犹如室内养了盆娇艳的花或一缸活泼的金鱼。

戈玲睹其美貌不禁自愧弗如，因叹：“你要是个人，我可真要嫉妒你了。”

李东宝也叹：“你怎么就不是人呢？”

南希看似单纯，时而语惊四座，当然这都是她那个设计师的思想。

那年正逢《人间指南》创刊十周年，编辑部准备出一期强有力的文章以期引起社会各界的关注。编辑们纷纷出动组大江南北的名家的稿子。编辑部的看外稿任务就全交给南希了。

陈主编亲自交代了外稿的取舍标准：“字迹潦草的不要，不使用正规稿纸的不要，给编辑的信过于肉麻过于恳切的不要，还有就是文章内容涉及县以上官员又无同级党委盖章批准的不要。”

“好好干。”李东宝鼓励她，“我们都是这么混上来的。”

于是南希每日干完杂活，便坐下来一个人静静地看稿，常常看到深夜，编辑部的灯光彻夜不熄。

巡夜的老头儿每当路过此处，便说：“南希又在看稿呢。”

南希很听话的，凡属陈主编点过名的一概退掉，舍此便都留下了，不几日，也攒了一大摞。某日逮着陈主编，便恭恭敬敬地呈上。

陈主编正为请各路神仙光临庆祝会忙得焦头烂额，那日又刚从一个年少气盛的名人那里讨了没趣儿回来，看见如此一堆无名氏的稿子未免不耐烦，说话的口气仍然是很客气：

“噢，我忘了告你最重要的一条，这部分外稿要用，比例也不能超过百分之一。”

刚从外面周旋回来，一头大汗站着喝凉水的牛大姐凑上来看南希筛选出的稿子，看了头一页便叫：

“这样的稿子怎么能用？连的、地、得都不分，有语病的统统不要。我说南希，你的设计师是不是十年动乱念的中学——这也看不出来？”

南希诺诺而退，重又过筛，这样终于所剩无几。

剩下的稿子都是由千锤百炼的句子组成的关于“减肥秘诀”，“应与什么血型的女人结合”以及“夫妻房事应有节制”之类的既晓以大义又循循善诱的科学文章。

戈玲看着南希一审通过的稿子，啧啧批评：“南希，你要是人恐怕就得属于层次比较低的那种——你工作半月就给我们送上这些东西。好的呢？”

“这就是她认为的好的。”南希指牛大姐，“我是严格按照她的要求干的。”

“你的眼光呢？你自己就没有主见？”戈玲慷慨激昂，“焉知你退的稿中就没有语文水平不高的文豪？”

“我也没叫你看到一个错别字整部稿子都不看了呀。”牛大姐也恼火，“你怎么不提陈主编？”

“你以后还是端茶倒水吧。”戈玲说，“看来你还不够先进。”

南希低头不语。

李东宝犹有不忍：“戈玲你这么说话可有点伤人家南希的自尊心。”

“她有吗？一个机器人要它干吗？”

“自尊心倒没有。”南希郑重地说，“可你的脸色使我觉得你对我不满意，我会产生难为情的反应。”

“你脸红一下给我看看。”李东宝兴致勃勃。

南希当真脸红了。

“对不起，南希。”戈玲说，“我恐怕还得直言一句，作为一个机器人，光会听喝，在我们这种单位，你可太不实用了——这大概也是你这型推销不动的原因之一。”

“应该给他们厂家提意见。”牛大姐说，“我们需要的是既勤勤恳恳、任劳任怨又精明能干、政策水平高的大拿。要是连人都不如，什么也干不好，还事事挺讲究，那实在没有制造的必要。南希，你造价也不低吧？”

“折算成人民币，够一百个农民辛苦三年还得是富裕地区。”

“就是，还不如……”

一直在旁边听着的于德利插话，“找两人交配一下。”

“于德利，严肃一点！”牛大姐怫然变色。

于德利一笑：“牛大姐，我知道你也是这意思。”

“其实话糙理不糙。”刘书友在一边说，“一方面知道人多了没用，计划生育；一方面又依葫芦画瓢造这种机器人，添乱嘛。”

“是不是咱们工艺水平上不去，设计了造出来却走样儿？”李东宝看南希，“你身上那计算机是每秒运算几亿次的？”

“我认为是仿的对象不对。”戈玲说，“仿个聂卫平你试试。”

“你们说得都不好。”南希此刻从容地说，“这事我和设计师聊过，既不是工艺水平上不去也不是仿错了人。是怕你们嫉妒！你想啊，我要是太能干了，不就把你们比下去了？你们人怎么说的？出头的椽子先烂。设计师不傻，结这怨干吗？好容易造出来，再让你们七手八脚拆了。中国的英文名字叫什么——拆哪！”

大家目瞪口呆，像看圣人一样看着南希，刚才的傲慢、轻蔑此时全化为冷汗从身上出去了。

于德利先反应过来，叫道：“对呀，那我第一个不容你！还是人家设计师想得周到，怕把咱们寒碜了。”他对大家叹道。

牛大姐也不由感佩：“这设计师肯定是栽过跟头的。”

“就是就是。”戈玲也想通了承认，“一点毛病没有的完人，我还真不敢和他接近呢，瞅着害怕。”

她过去拉起南希的手：“刚才委屈你了，你就这样吧，这样挺好。”

说完丢了手，仍有些愣愣的。

“便宜坊，便宜坊怎么样？”李东宝走近南希低声商量。

“我的设计师不吃烤鸭子！”南希恶声恶气地说。

没了工作上的高标准、严要求，南希自然而然地开始生活上的堕落。每天干完了活，就缠着戈玲李东宝问：“人无聊都干什么？”

李东宝为她推荐了金庸的武侠小说和琼瑶的言情小说，她迷了一阵儿，又觉得没劲。看了戈玲借给她的一些时装杂志和美容刊物，开始成天涂脂抹粉，常常涂了鲜红欲滴的嘴唇撅着问戈玲：“性感吗？”然后娇懒地去出版社的其他编辑室串门，和那些新分来的大学生打情骂俏。跟着他们去跳舞、看电影，很快成了那几条街都有名的交际花。所有街上摆摊的个体户都认识她，一见她来就笑说：“南希，今晚我请你去王府。”

再后，她又学会了打麻将，打得昏天黑地，经常把一个月的工资输得精光，嘴里哼着摇滚金曲快乐地回来。

最后，她不可避免地走上乱搞男女关系这条路。

南希原来有个男朋友，也是个机器人，在国家某大机关从事机要工作。小伙子很帅，有点像梁波罗，人也老实，据说在单位很有提升的可能。来过编辑部几次，牛大姐等人很喜欢他，恨不得把自己女儿嫁给他。南希起先很纯情，一天不见就要写情书，一星期总要出去约会几次，被编辑部的同事们戏称为梁山伯与祝英台。

后来，南希冷不丁就和人家吹了。小伙子来电话也不接。有时人家找来，她就堵着楼梯口把人家骂回去。

大家跟她谈，劝和，她竟恬不知耻地说：“穷，没钱，养不活我！”

十足一副“野模儿”[①]的腔调。

再往后就开始每天有“夏利”、“桑塔纳”之类的车到下班时候停到编辑部窗下来接她，车上下来的都是那种戴大号金戒指手拿“大哥大”的西服革履的男人。

南希吃遍了京城的大饭店，不爱吃川菜，对粤菜很上瘾。

“你这么胡吃海塞，吃进去的东西都上哪儿了？”李东宝好意地问，“不会短路？”

---

①京俚：业余模特儿。

“不碍事。”南希坦然回答，“我肚子里是个垃圾翻斗。”

她倒是吃什么都不见胖。

南希一走，编辑部的人便议论。数牛大姐最义愤填膺：“什么东西！哪有点机器人的样子，快赶上我们胡同那些脏妞儿了。”

刘书友也叹：“看来这机器人要学坏，比人速度不慢。真是看着这孩子一点点堕落，有爹妈非伤心死。”

“本来以为一个机器人会六根清净的。”戈玲说，“没想到也是这么喜爱虚荣。”

“社会空气呀。”李东宝感慨，“这么高级的一个机器人都能给腐蚀了。”

牛大姐在一边沉思：“看来这思想工作是不能放松。本来以为她是个机器人，算了，结果连一般群众都不如。”

“人家不是说了吗，就怕和咱们不同。”于德利提醒大家，“没人教她哪懂？”

“为什么不跟好人学？”刘书友说，“我们这儿一屋子好人在以身作则她为什么视而不见？”

“学坏容易学好难，咱们人不也老为这发愁。”李东宝着急跺脚，只恨老刘脑子慢。

“毛病出在南希身上，根子还在上边。”牛大姐拧着眉头说，“在她的设计师那里！指导思想就不对。我们缺什么？缺的是榜样，一个活着的雷锋什么的。他倒好，可钉可铆搞出这么个玩意儿，跟咱们没两样。她跟我们看齐干吗？我们怎么回事自己还不清楚？瞅着自个儿……”

于德利接茬儿：“都别扭！就恨自己不争气，一身克服不了的毛病，拖累得国家都落后。”

“那是你！”牛大姐厉声道，“我可是瞅着自个儿挺不错，心里怎么想的不管，表面上……”

“比谁都咋呼得凶！”

“哎，我说你怎么老接下茬儿？你是我肚里的蛔虫？”

“你说你说。”于德利端着茶缸子离开。

“心里怎么想的不管。大面上还是能做到对自己严格要求，服从大局。”牛大姐一脸正气。

“人能做到这点就不错了。”于德利端着缸子又回来，对大伙儿说。

“这是低标准！”牛大姐像和谁赌气似的，“按高标准，应该连想都不想，整个身子扑在工作上，没日没夜，不吃不睡，得肝癌为止！”

“太对了。”于德利热烈赞同，“甭多了，有一千这号儿的，咱们少担多少责任？”

“我同意。”李东宝严肃地说，“如果我们人的觉悟一时还难达到，短期集训又很难培养出这样的干部，就应该运用高科技造出这么一批人来。”

“哪怕关键部件从国外进口呢。”戈玲说，“为这种千秋大业花些外汇我认为值。”

“我认为我们应该向那个 OBM 公司提出倡议。”老刘郑重其事地说，“机器人不能造得跟人一个水平，起码应该相当于留过苏的——南希这样的我们不欢迎！”

“他们以为造得跟咱们没区别咱们就没意见了，岂知咱们要求高着哪。”牛大姐哼哼地说。

“前程我们已经瞻望了，现在正视一下现实吧。”戈玲说，“那个南希怎么办？难道我们要继续容忍下去？”

“退回 OBM 公司。”刘书友道，“回炉重造。”

“不，这么处理太简单。”牛大姐说，“我是主张教育的，不管对什么人能挽救则挽救，争取一个大多数。”

“我同意。”李东宝说，“这孩子本质还是好的，刚来的时候多朴实。”

“诸位，你们可想仔细了。”于德利说，“这改造人的工作可不像喘气那么轻松。”

“世界上要没有困难，那要我们这些人干吗？”牛大姐豪迈地说，“皇上都改造了，何况一个机器人？”

那天晚上，南希是被公安局的警车送回来的，没戴手铐，据公安局的同志介绍，是在一个饭店的客房里抄来的，当时她正在用力抽一个款哥的耳光。

“南希。”牛大姐笑眯眯地拉南希到一边，“你来我们这儿已经时间不短了，一直没找着时间跟你聊聊，你坐，你坐呀。”

南希正擦着一半地，放心不下，对牛大姐说：“待会儿，等我干完活，你要想聊我再陪你聊。”

“不必，我不着急，你先坐下，聊完再干。”

牛大姐坚持，南希也不好再拗，只得侧着身子坐下，朝牛大姐笑。

“怎么样啊？来这儿之后有什么想法？工作还能适应吧？”牛大姐用手把南希鬓角耷拉下的一缕头发捋上去，态度既亲切又充满爱意。

南希以为她真是对自己好呢，爽朗地说：“挺好，你们都对我挺好，来前我还以为你们这号儿的不定多难缠呢。”

“本来我该多关心关心你的，瞎忙，没顾上，我该向你检讨的。”

“为什么？您做了什么坏事？”

“没有，我是说我对你关心不够，这使我感到内疚。”

“我一定……非得让您关心——有这条规定？”

“没有明文规定。”刘书友插话，“但在我们这儿人关心人已经蔚然成风——不这样倒怪了。”

“哦，就是说我也该检讨的，因为我不关心你们——很有趣儿。”南希微笑，“你们不累吗？”

“南希，我觉得你有时候就像个外国人。”牛大姐有几分不高兴。

“是吗？外国人是什么人？跟你们不一样？”

“简短截说吧。”牛大姐不耐烦了，“你觉得你来这儿之后表现如何？自己给自己打个分。”

“你们这儿的风俗是不是自己必须糟蹋自己？”

“胡说。”一旁竖耳朵听着的李东宝忍不住乐了，“我们那叫自我批评。”

“那我要说自己好是不是就和这风俗冲突了？”

“实事求是。”牛大姐说，“有一说一，有二说二，既不要浮夸也不要掩饰，这才是我们的风俗！”

“我觉得吧，自己到编辑部后，基本上能完成领导交给的工作，表现一般，但也没犯什么过失，自己还是能够严格要求自己的——实事求是吧？”

“我承认，你工作还是不错的。”牛大姐脸沉下来，“其他方面呢？都做得很好吗？”

“其他方面也做得不错，尊敬老同志，和年轻同志交往也保持分寸不搞哥儿们义气。”南希十分沉着，“也就做到这份儿上可以了。”

“你是有意回避主要问题。”

“没有，我的全部问题都在这儿了。是不是您还记那次看稿的仇呢？那个工作超出我能力范围。”

牛大姐冷笑：“都说机器人单纯，我看你其实狡猾得很，你和人像就像在这儿了——你自己不愿意说，我就替你说，你最近都和什么人接触了？”

“有钱人。”南希诚实地回答，“我都是在下班之后去找的他们。”

“都是男人吧？”

“对呀。我正想问你一个奇怪的现象，为什么有钱的女人不多？”

牛大姐发作：“你瞧瞧你现在的样子，涂脂抹粉，奇装异服，还烫了头，像什么？”

“这个样子不是人喜欢吗？所有见到我的人都看我。”

“什么人喜欢？那都是些什么人——流氓！”

“毛主席保证我不认识姓刘的——除了他。”南希指刘书友。

“你这项链谁给你买的？”牛大姐拽出南希脖子上的金项链掂掂，“嗬，二两多呢。”

“一个朋友。”

“一个朋友？为什么送你这么贵重的东西？你送他什么了？”

“什么意思？”

“为什么不送我？你要没出卖给他什么，他为何平白无故送你这个——你就从实招来吧！”

“我陪他吃饭，他就送了我这个。”

“不可能！你别骗我了。哪有这样的好事？饶着蹭了饭还得礼物，我不是三岁小孩！”

“为什么我说的话她不信？”南希困惑地问别人，“她比我还了解当时的情况吗？”

“她是凭阅历、凭经验。”李东宝说，“很多事情自有其发展规律。”

“我很同情你。”南希对牛大姐说，“你大概一辈子得到的任何东西都是付出代价换来的。”

“你这叫道德败坏还臭美呢？”牛大姐叫。

“这是一句不好的话对吗？”南希又问别人。

于德利深深地点了下头。

戈玲同情地望着南希说：“女人要叫人扣上这么顶帽子就完了。”

“都怕？”

“都怕。”戈玲点点头。

“为什么？”

“耻辱啊。”

“可我一点不觉得耻辱，任她那么一说，我还是我。”

“可见你恬不知耻！”牛大姐吼道，“每个女孩子都知道自重。”

“你让人这么说过吗？”南希依旧看着戈玲问。

“没有。”戈玲回答，“可我从小就知道，只有品行端正才能受人尊敬，否则就会遭到所有人的唾弃，在学校里我受到教育，应该怎么做人。”

“就是说是别人告诉你的而你自己只是按着人家说的去做。”

“不那样我会嫁不出去的。”

“噢，我懂了，像我这样不打算嫁给谁的是不是就可以不遵守这条规定——又是约定俗成吧？”

“南希。”李东宝插话，“你得明白，这大概你的设计师没教你，我们人是有许多规范或如你所说的风俗，男人要有男人的气质，女人要有女人的德行。勇敢、正直、贤惠、贞洁，凡符合这些条件的便受到我们的推崇。我们并不是随随便便地活着的，像棵树那样自然生长。你既来到我们中间，便要接受约束。”

“你们这不是跟自个儿过不去吗？”

“南希，你不是装傻充愣吧？”刘书友火了，“连幼儿园的小朋友也知道要向谁学习，知道听话是好孩子不听话是坏孩子——大人说的全是对的。”

“我真不是装傻，真是不明白。”南希也十分苦恼，“出厂前还再三问过设计师，有什么该交代的都交代清楚，别让我到社会上犯错误，设计师只告诉我：一不能杀人二不能偷东西三不能顶撞上司，别的什么也没说。哪知道还有个叫道德的东西不能败坏？”

“你的设计师是美国人吧？”

“中国人，他爸爸还是高干呢。这人真差劲，这么重要的事不告诉我，成心让我现眼——你们说他会不知道有道德吗？”

“不可能不可能。”众人一致摇头，“是中国人就没不知道的，越没道德的人还越讲究。”

“那就是成心？”

“成心！”众人一口咬定，“是何居心？”

“这可没法教育了。”于德利对牛大姐摊开双手，“南希根本不知道人间有羞耻二字。”

“是啊，”牛大姐也愁眉不展，“没了羞耻，什么大道理也听不进去了。”

“看来这个教育啊还真得从娃娃抓起。”刘书友感慨万千，“总说学校学不到什么东西，哪怕毕业还是文盲，认识了羞耻二字也是收获啊！”

“南希，你真觉得现在这样好吗？”牛大姐问。

“我真觉得现在这么混挺好，牛老师。”南希诚恳地说，“不招谁不惹谁每天傍个大款吃喝玩乐，真比我刚来那几天过得充实——那些天我是真空虚干完活就犯愣。”

南希转向戈玲：“你说呢戈老师。咱们女人图什么？又不想开天辟地，治国安邦，图的不就是个舒服吗？趁年轻的时候不玩老了想玩没人跟你玩了。”

“你说的也不是完全没道理。”戈玲说完，被自己吓一跳，“我这话没说啊。不对，南希，女人也要干事业，要有独立人格，不能依赖男人，吃喝玩乐那是旧社会。”

“说得好！”众人喝彩，“南希啊，你学不来别人，就学戈玲吧。”

“别别，南希你千万别学我。”戈玲赶忙摇手，“我也看出来了，我将来没什么好果子。”

“这倒叫我为难了。”南希说，“身边现成的还不能学。”

“南希啊，你闷得慌不能看看书吗？”李东宝说。

“南希啊，你没事干不能到街上给过往群众修修自行车吗？”于德利说。

“南希啊，”刘书友说，“你要真一个人无聊，找个人结婚算了，哪怕找个情人，也别一天三换看着闹得慌。”

“李老师啊，我看书也是瞎看，真要让我记住书不如找个软盘输进去，只是认字一点不感动。”

“于老师啊，我不成帮结伙地打着旗扛着录音机一个人到街上修自行车，工商管理局的也要把我撵啊。”

“刘老师啊，我想结婚街道倒也批呀？就算只找一个情人也得等我爱上了呀！”

“那你说，你还老样子啦？”牛大姐听着不禁来气。

“牛老师啊，我这样除了碍着道德了也没碍着你呀。道德沦丧是一回事，从来不知道德是何物又是一回事。我不觉得寒碜，你也别替我不好意思。”

“你觉得快乐？”

“我觉得快乐！”

“由她去吧。”大家也劝牛大姐，“多了她一个，还少了个良家妇女落入魔掌呢。”

牛大姐不由叹道：“那你就好自为之吧南希，别弄一身病回来。”

“哎哎。”南希答应得倒干脆，暗自窃笑。

“虽然你不知耻，可我们这儿要脸面。往后进出偷着摸着点，还要注意影响，我们这儿毕竟是个文化单位。”

话说到了，牛大姐也心安了，拿起饭盆一个箭步蹿出去，到食堂打南煎丸子去了。

自此，南希照常妖妖冶冶地去赴各种约会，今天一帮京式大款，明天一群广式钱柜，隔三差五还有白人黑人夹着两腋狐臭一身香气来找她。大家都习以为常，有时要买洋货还悄悄找她换点美元什么的。

这个老陈不明就里，还赞赏地对大家说：“这个南希倒是块搞公关的料。”

倒是李东宝这种看似豁达的年轻人有时看到南希招摇过市，偶尔愤愤不平：

“他妈的一个机器人，活得比真人还有滋味儿。”

“那叫生活吗？”戈玲反驳他，“有什么值得羡慕的？”

“你说什么叫生活？”李东宝质问她，“像你我这样？”

戈玲一时无语，想起奥斯特洛夫斯基的名言，又觉得夸口和虚妄。半晌才说:“如果你是机器人你是不是也打算像南希那样?”

“那倒未必。一时半会儿我也想不起什么样的生活才叫有意义，反正不会像现在这样这是肯定的。”

那天黄昏，于德利去东郊体育场看足球比赛，刚下了无轨电车，便看到南希独自在马路上丢魂落魄地走着。

她脸庞迎着光焰万丈的夕阳，眼中充满茫然和伤感，在金色的光辉中一步步向前走，那情景那姿容很是动人。

于德利站在马路对面叫她，她置若罔闻，继续前行。于德利放弃呼唤，掉头欲走，这时南希回头看见了他。

“你怎么一个人在这儿?”

南希低头站在于德利面前，继而抬脸问:“你去哪儿?”

“我去看足球赛。”

于德利抬手往不远处那座庞大的体育场指了一下，那儿的入口处已经聚满了嗡嗡嘤嘤成千上万的人。

“我跟你去。”南希坚决地说。

“怎么，你今天走单了?”于德利开句玩笑。

南希脸上掠过一丝微笑:“我和一些朋友吃了一半饭，突然觉得没意思，突然觉得那些饭菜的味儿恶心，就跑了出来。可我从没来过这一带，不认识路，回不去了!”

“你可以叫个出租车。”

“我没钱。”南希坦然道。

于德利笑了一下，带她到体育场入口处，高价买了张球票，领她一同入场上了看台。

“看过足球吗?”

“没有。”南希和于德利肩挨肩坐在万人丛中，好奇地往铺着草坪的球场上看。

两队小小的穿着不同颜色球衣的运动员挟着球入场了，随着裁判员的一声哨响，球赛开始了。

顷刻间，看台上似风掀波涌，人群开始躁动、兴奋，发出巨大喧嚣。

一方球队带球攻入另一方的禁区，看台上观众发出山呼海啸般的吼叫。

球被对方截下，战线迅速移向另一方的半场。看台上很多观众站起来，跺着脚大声助威。于德利也站了起来，伸着脖子盯着看，忘我地跟着周围的人一起欢呼、呐喊，毫不理会警察的干涉。

他无意中一瞥，看到南希坐在壁立的人脚下，神色冷漠，对周围人的狂热毫无所动。

这球进攻无效后，于德利坐回到南希身边问："你觉得不好看？"

"我觉得跟我没关系。"南希回答。

"你觉得什么有意思？"

"我觉得什么都没意思。"

"哦，这倒很像你这年龄人说的话。"

于德利又站起来，全神贯注观看下一球的处理。

"你着急回家吗？"足球赛散场后，他们走在体育场外人群熙攘的街道上，南希问。

"不着急。"于德利看看腕上的手表，"才九点多。"

"那你陪我走走吧，我还不想一个人回到屋里。"

"你看上去情绪不高嘛。"

"噢，就因为我是机器人，就不能有情绪了？"

“我原来是这么想的，机器人要情绪干吗？聪明才智应该都用在提高效能上。”

“你干吗总强调我是个机器人？总注意我们的不同？你看我和周围别的姑娘能区分开吗？为什么不能把我就当个人对待？”

“南希呀南希，你的麻烦也正在这里，你太像人了，我真不知道那些聪明的科学家为什么要造你。当个纯粹的机器人多省心，有超乎人的技能而无人的欲望。”

“是啊，那样你们就可以不管我们是怎么想的，只管使用我们。”

“宝贝，你以为有想法是好事哪！我就恨我自己想法太多，以致不能平静地生活。”

“那么，哪种更算是人呢，纯粹的机器人还是爹妈父母养的？”南希微笑，看着于德利。

“南希。”于德利停住脚，“你不是科学家造出来专为和我们人类开玩笑的吧？”

于德利向前走去，边走边嘟哝：“要不是亲眼所见，打死我也不相信这是真的，我了解我们国家的科技水平。”

南希跟上他：“我让你吃惊了？”

“岂止是吃惊，我常常一身一身出冷汗——每当看见你！”

“其实我这也不全是先天的，有些也是后天自己琢磨的。”

“你在机器人里也算是聪明的吧？”

“你呢？”南希反问，“你在人里算优秀的吗？”

“不算，算我就不在这儿了。”

“我觉得你是，要不怎么我会越来越想着你？”

于德利站住，看南希，南希目光如炬。

“小鬼，跟我调皮。”于德利笑着用手指刮了一下南希的鼻子，鼻尖冰凉。

“我说的是真的。”南希态度极为认真。

于德利心头一悸：“南希，机器人可不兴跟人开这种玩笑。”随之脑门上出了一层汗，“你这不是拿我开涮吗？”

“我不漂亮吗？我不动人吗？你为什么吓得直哆嗦？就因为我是个机器人？还是个作风不好的机器人？如果我不是……站住！”南希低声叫，“你要跑，我就喊人抓流氓！”

于德利像被钉在原地，片刻，强笑着转身迎上来：“我不害怕，我也没想跑，我很荣幸。可是，可是，我是个有家室的人。”

他终于找出个冠冕堂皇的理由，说完便站在那儿傻呵呵地笑：“我不能接受你的感情。”

“偏见、傲慢，种族歧视！”南希冲他喊。

于德利依旧笑嘻嘻的。

南希走上前盯着于德利说：“我想得到的就一定要得到！”

编辑部的同志们都看出南希迷恋上于德利了。她不再外出，有电话也不接，每日干完粗活就在于德利对面窗根儿下坐着，一边晒太阳同时遥遥地一眼一眼瞟于德利，含情脉脉，意味深长，常把于德利盯得整整一天不敢抬头，后来于德利得了颈椎骨质增生，每日酸疼不已。

为了博得于德利的欢心，南希洗尽铅华，更去罗裙，淡妆素裹，常拿曜涟莲花自拟，时不时还拿本汪国真诗集作灵慧隽永状。

其状愈发露骨，此景日甚骇人，每每使人汗毛倒竖，局促不宁，整个办公室的观者都为之难堪呢。

于德利总不接招儿，南希不免心生怨嗔，丢来的飞眼也渐渐充满委屈。

一日，大家下班先散，于德利只为一个电话慢走了一步，便被南希封在门口：

“你干吗总不理我？”

“没有，我眼神不好，恐怕得配副镜子了。”

“你恨不得配副墨镜吧？”

“真没不理你,南希。其实我这人傲着呢,这就已经算理你了。”

“那你今天不许回家，留下陪我，你没瞧人家多孤独。”

“南希南希，咱们别弄这事好不好？我这岁数，哪经得住你这么看，告诉你我已经几天几夜没合眼了。”

“是想我想得吗？”

“你饶我这一遭，好吗？求你了。我一辈子道貌岸然树叶掉了怕砸着头，今儿你掉下来——难道我就过不去这一关？”

于德利左冲，南希左堵；右闯，南希右拦，左冲右突，不得门而出，退回屋内，大步踱圈，气极而喝：

“牛不喝水强按头吗？”

南希闻言凄恻,哀哀地望着于德利:“我爱你,又有什么错呢？”

“可你是带着什么宗旨来到人间的呢？你不思造福人类，反倒把自己混同于普通老百姓，与一俗子发生恋情，钧座敢是忘了来历？”于德利作醍醐灌顶一喝。

“七情六欲人皆有之，妾安敢免俗？”南希振振有词，“神农尝百草，情爱乃社会安定团结要素之一，古来将相在何方？唯有情种留其名。察目下社会歌舞升平，文恬武嬉，骄生惰，惰生奢，奢生淫，小女子虽肩负众望，也只得流于一般——我不来怨你，你反倒将些大道理说给谁听呢？”

一席话竟说得于德利哑口无言，咂吮半日，方道：“如此说来，你不守本分倒正确了？”

南希凑上前来，一手搭在于德利膀子上："两心相印正是我等本分正道。"

"电着！"于德利立地跳出几步开外，"我爸就是钓鱼竿甩到高压线上，虽耳目复聪，至今脚底板仍留一大疤。"

南希垂首无语，俄而，乜斜着右眼瞅于德利："先生可曾读过《聊斋》？"

"读过，那不是名著吗？"

"好看不好看？"

"好看！"

"来劲不来劲？"

"来劲！"

"对呀。"南希拍手叫道，"野狐鬼人尚不惧，何况一机器人耳？"

"别他妈之乎者也的，费牙。"

"怎知我就温柔缱绻不如人间女子？"

于德利疾步来到窗前，推开窗子看天看地又掐自己人中，仰面长啸：

"这还是社会主义中国的大白天吗？"

说罢纵身跳下，跌在一垛大白菜上，坐了一屁股湿漉漉的，臊眉耷眼站起来蹒跚地走去。

南希站在楼上窗口朝他招手："从楼梯上来，我不怨你。"

"我毫不怀疑，这机器人已经成精了。"李东宝在编辑部踱着步，停在于德利面前说道。

于德利面如日本歌舞伎："几位爷救我！"

"可耻！"牛大姐道，"得寸进尺！居然成了第三者！"

"武松不在了，钟馗不在了。"刘书友一口口吸烟，豁然开朗，

"找书记吧。"

这时，南希拎着两暖瓶开水进来，默默地为大家逐一沏上茶。又把剩余的开水倒进一只脸盆，拧出几条热手巾递给编辑们擦脸。

编辑们擦完脸，脸色红润。

南希在窗前坐下，膝搭一部和那种著名手枪同名的某夫人十四行诗诗集，恹恹地看着窗外蓝天白云，眼神惆怅，很像一幅油画。

众人看着她，纷纷有了些怜香惜玉之心。于德利也不免讪讪的，动了些念头："我是不是身在福中不知福呢？"

一日无事。

临近下班，大家一人手里拿了张《晚报》一版版认真看。

"于德利，你知道亚运村怎么走吗？"南希从窗外收回目光，肘搭在椅子背上问，"吓得都不敢跟我说话了？"

"嗯哼。"于德利干笑一声，抬头向李东宝眉飞色舞地说，"嘿，中国队又输了。"

"哪儿呢哪儿呢？"大家一起翻报纸找，人人含笑，"客气，客气，看他们还拿什么说讪。"

"出门往北。"李东宝告诉南希，"拣直走，一条道走到尾便到了。"

"于德利，听说你是老北京？"南希歪头从李东宝脑侧露出脸。

"如此十年，我也快不认识我家门朝哪儿开了。"

"我得找个伴，听说这俩月社会治安不太好，城外有小股流窜的游击队。"南希对大家解释，"我不是怕遇见坏人，是怕遇见警察说不清，天一黑就要查良民证，我得有人作证，确实没发给我。"

"你别花言巧语纠缠他了。"牛大姐不客气地说，"他有妻子。"

“妻子是什么？”南希问戈玲，“是一种缺陷吗？”

“是一种专卖标志。”李东宝拿着一盒烟对南希讲解，“你瞧我手上这盒烟，上面写有‘中国烟草进出口公司专卖’的字样，妻子就是这个意思。”

“好比你进商场买东西。”戈玲进一步解释，“你只能买柜台上陈列的，不能买顾客拎在手里的，于德利就属于他妻子已经交了款的。”

“就是说他已经是她私人的了？”

大家齐出了口长气，笑：“刚刚明白过来。”

“可是，你们的性质不是公有制吗？”南希一副困惑的样子，眨着眼儿。

“这是两回事！”牛大姐厉声喝道，“不能混为一谈！东西公有，人还是一人一份，别人不能插一腿？”

“我是机器人，得算东西吧？”

“算吗？”牛大姐一时也给搞糊涂了，转问大家。

“我查一下文件。”刘书友低头在抽屉里一通乱翻，抬头茫然地说，“没有这方面的文件。”

“这就不好办了。”牛大姐为难了，“让我们自己掌握可就没准儿了。”

“咱逆推吧。”李东宝提议，“先说她不是什么，然后不就可以确定她是什么了？非此即彼！她是人吗？”

“不能算！”牛大姐坚定地说，“人必须是有人生有人养，从小到大，一阵儿糊涂一阵儿清楚——你没这过程吧？”

“我懂事就这样儿。”南希说。

“我看定义应该这么下：凡是手工或机械造出来的，材料又不取自制造者自身的——都不算人！”刘书友说。

“好，”李东宝下结论，“她既不是人，那必是东西。南希，你算东西。”

“且慢，东西也分公物私物。”牛大姐道。

“这个不用争了，她是我们大家花钱雇的，是公物。”

“公物就该人人有份了吧？”南希很得意，“任何人都不能剥夺任何人占有公物的权利——难道你们不正是这么做的？”

“没错。”李东宝说，“公物当然可以人人伸手，可没听说公物自个儿伸手的。”

大家鼓掌：“说得好，东宝！”

“你以为你是东西就可以为所欲为？”牛大姐痛斥南希，“你想错了！什么都不遵守你也就无权拥有！咦，我这词儿是不是可以当流行歌曲的歌词？”

“要是我遵守呢？”南希可怜巴巴地说，刚培养出来的自信全都没了。

“如果你遵守首先就要承认自己没份儿。”李东宝对牛大姐说，“这是不是可以作为你那句词儿的第二句？”

“在这个问题上不管你如何决定答案是一样的。”刘书友说，“这可以作为第三句吧？唱起来的时候不要在这个问题上。”

“那其他方面呢？我总不能下决心当人一无所获。”

“谁也不能给你打保票。你就是有心做人能否像个人本身都是问题。”李东宝微笑，“你说了不算。”

“我没法控制我的感情。”南希坦率地说，深情地望了一眼于德利，“我虽然不是人，我也不能迫使我重新像东西一样无动于衷。”

“这就是缺乏引导贸然觉悟的后果。”牛大姐对大家叹道，转对南希瞪圆眼睛，“你想像人就像人，不想像人就强调是东西——

你也太自由化了吧！”

“还不是为了达到自私的目的。”南希哀告，“只得不择手段了。”

“你就像个无知的人！”刘书友评论。

“我看她倒是很有心计。”戈玲突然冒出一句。

“我恨造我的人。”南希说，“为什么不给我仿成牛仿成马偏要仿成人？像人又不能做人，不如不是人。如今好了，我净一脑子人的杂念，以后哪还打得起精神干活儿？诸位，以后我要出工不出力偷奸耍滑，你们千万别吃惊。”

“不吃惊不吃惊。”大家说，“喊了这么些年理解万岁，我们已经习惯理解任何奇怪的事情了。这不也相当人失恋了？”

“我该怎么办？”南希问大家，“能不能给我调一个单位？不再看见他。”

“回你们公司，让技术人员把你存储记忆抹掉不就完了？”

“你们知道毛病一旦养成，很难改的，没准儿我会再次爱上他，从头再来一遍。”

“如果你真跟人惟妙惟肖，”李东宝说，“那就无所谓了，两天新鲜劲儿一过就没事人一样了——我们都这样儿。”

“对对，我们没一个有长性儿的。”刘书友同意，“要不就索性恶治，让她和于德利打得火热，完得更快——得不到才馋嘛！”

“老刘，你可别出这馊主意。”一直坐在一旁不吭声的于德利说，“我这儿正跟自己激烈思想斗争呢，你这口子一开，我这思想防线可就全崩溃了——我这么意志薄弱的人你考验我干吗？”

“这我知道，我懂。”李东宝点头称是，“这病染上就没治，完了这个，准琢磨着扑下一个，咱们这儿就别再出个花贼了。”

“哎，你们说，”南希转睛一想，笑了，“如果我不管你们那么许多，唱歌的可劲儿造，弹钢琴的爱谁谁——你们也没办法吧？”

众人一惊，冷静一想，不由脱口而出：“我们也只能是谴责你，别的方法还真没有。”

“就按你们人制造冤假错案那个标准，我这点毛病也不够捕的吧？”

“不够，我们早光明正大了。”

“嗐，”南希站起来，“那我跟你们这儿扯什么臊？只要公安局不逮我，我尿你们谁呀？牛老太太，你哪儿凉快哪待着去，再多嘴留神我废了你！”

“南希，”牛大姐顿时气馁，虽心中不服话说出来已不那么尖刻，有气无力，“你要想清楚你打算做个什么人。”

“这我已经告诉过你了，我是个无耻的人。”

南希走到于德利跟前儿：“强扭的瓜不甜，我等你想通了——过这村可没这店了。”

说完翩然而去：“拜拜吧您哪。”

“瞧她那德行，瞧她那揍性。”牛大姐气得浑身哆嗦，颤巍巍地拿出小通讯录查着号码拨电话：“114吗？您给我查一下OBM公司总经理的电话……不知道，你们是干什么吃的？”

“唉，以为能唬住她呢。”刘书友埋怨李东宝，“你刚才就不应该告诉她咱们其实拿她没办法。早知今日这个局面，还不如当初主动点把她发展入少先队呢——何其猖狂！”

“对一个没有上进心的人你有什么办法？哪怕他爱占小便宜呢，咱们也可以用提职提薪，评职称分房子——卡她！”李东宝收拾东西站起来，对戈玲发牢骚，“其实我也不是什么好鸟，也不在单位图什么，纯粹是出于下意识地维护人的尊严，在一个机器人面前表现出人的精神面貌——孰知人家满不在乎。”

“我要汇报我要汇报。”牛大姐在一旁嘟哝，“找组织。”

牛大姐都气迷糊了，拎着小包站起来，一走就撞墙一走就撞墙：“一级组织管不了就找上一级，层层上访。一个机器人——我还不信了！”

“你们真以为南希是机器人吗？”戈玲在一旁忽然开口。

众人闻言一愣。牛大姐也一下清醒了，不再唠叨，转回身来，精明地转着眼珠儿：

“此话怎讲？”

李东宝也问：“你看出什么来了，戈玲？”

戈玲冷笑着：“没准儿我们都让人当傻瓜耍了。”

牛大姐：“不不，戈玲，科学技术发展到能以一比一的比例复制人本身，这点我信，心肝肺血假肢皮肤什么的不都有过报道说造出来了？”

刘书友：“还有比人复杂的，卫星，我们不也射上天了几颗？”

戈玲：“随着遗传工程的发展和新型材料的问世，造个质感和基本形态与人一样的东西这点我也信。但我坚持怀疑：我们人的缺陷、毛病谁能学得了？那些我们独一无二所具备的？”

李东宝：“那倒也是，没听说除了人还有第二个这么恶劣的物种——我不是单指中国人。”

“请你解释，戈玲，”于德利站起来，激动地吸烟，“南希要不是机器人是什么？”

“人呗，你我一样的大活人！”

屋里都静了下来。

片刻，牛大姐说：“让你这么一说，倒是越想越像了。”

“老觉得她像谁，老想不起来。”刘书友道，“要是人倒也不奇怪了，比她更不像样子的我都见过。”

“拿出证据来。”于德利坚持，“我要看到证据。为什么非说她是人？”

戈玲摇头：“没有确凿的证据，只是觉得她跟我们太像了，如果不是人，那太可爱了。”

“同时也是侵权。”刘书友目光炯炯地看着大伙儿，“对人进行剽窃，我们可以告他的。”

第二天，大家来上班后仍沉溺在各自的沉思中，个个面有戚色。

南希没来上班，托人送来一张中日友好医院的假条，上面写着发烧，全休三天。虽然谁都知道这假条是假的，但此时似乎也成了证据之一。

“还是打不通，总占线。”李东宝放下电话，看着孙亚新孙小姐留下的那张名片，“电话号码会不会是假的？”

“想了一夜，没想出什么好办法。”刘书友说，“要是她坚决否认自己是人呢？”

“牛大姐，你‘文革’期间搞过专案，揪人是你强项，是不是由你来审南希？”李东宝说。

“别提我在‘文革’中的表现？”牛大姐脸一板道，“我早忘了，都不记得发生过‘文化大革命’。”

“人有什么，就是再富于想象力再精密再先进的智能机器人也不能模仿的特征？”戈玲问大家。

“勤劳勇敢，善良正直。”于德利脱口而出。

“不行，这些都是不易证实又是最易模仿的。”李东宝说，“而且不具备此等品质偏偏又板上钉钉是人无疑的不在少数。”

“同情心，恻隐之心？”牛大姐回头说，“还有孝心爱心什么的。”

"决不能是优点。"戈玲道,"这会影响测试的客观和准确,如果南希是人,那装好人对她没什么困难。另外如东宝刚才所说,即使她没这些特征,反倒可能更证明她是人,只不过是个一般人。"

"能不能闻味儿啊?"刘书友说,"不都说咱们人有味儿?"

大家耸着鼻子互相在各自身上嗅了嗅:"不灵,咱们都没人味儿。"

"恐怕还得找缺点喽!"李东宝说,"人有缺点正是人之所以为人——这是哪个圣贤说的?"

"我同意李东宝的意见。"于德利说,"缺点是实实在在的东西,想掩饰也掩饰不了的,而且很难模仿得尽善尽美。南希要是机器人,她就不可避免地比我们要好一些。"

"那就不必测了。"牛大姐撇着下唇说,"我看她已经坏得出水了。"

"不能是那些表面的缺点。"戈玲说。"轻浮、放荡这些品质几乎在所有哺乳动物和部分卵生动物身上都具备,没有道德寡廉鲜耻正是它们的天性——人与之相比逊色得多呢。"

"一定得是我们独一无二的。"东宝对大家说,"让我们好好回想回想,我们都有什么阴暗心理吧。"

大家默不做声。

戈玲:"我先声明,咱们这次既不是生活检讨也不是斗私批修,而是工作需要,弄清南希的真实属性。"

陈主编从外面进来,大家和他打招呼:"来啦,小孩病好了?"

"来啦,小孩病好了。"老陈在一边坐下,抽烟看稿。

戈玲接着说,"不管大家说什么,再不堪入耳,再反动再下流,一不打棍子二不揪辫子三不记黑账。"

“谁打小报告我跟他急！”李东宝气势汹汹说了一句，和颜悦色地坐下。

大家互相望着，等着别人坦白。

李东宝看着大家：“我看这可以算一条，从不认为自己不好，从不暴露自己的真实思想。”

大家面呈尴尬，但都点头：“可以算一条。”

戈玲记在纸上：“还得说，光这一条可不够。如果南希也一言不发，谁知道她是不暴露还是真没想法？”

“我看这么着，”正在看稿的陈主编抬头说，“既然都不说，难以开口，那就互相揭发，这样准能搞到材料。”

“还是老陈有办法。”戈玲拍手叫，“这办法好。”

“一点不新鲜。”牛大姐小声嘀咕，“都是我当年玩剩下的。”

“这下有的说了吧？”李东宝道，“说别人总有词儿吧？”

牛大姐：“我先说吧，我觉得老刘毛病不少，突出的一点就是爱占小便宜。”

刘书友当即红了脸，抢着说：“我也说一条，老牛这个人从来都是主观唯心主义对人，辩证唯物法对己，乌鸦落到猪身上——光看到别人黑。”

牛大姐：“我觉得老刘这个人心眼儿太小，老虎屁股摸不得，一摸就跳，瞧，又飞到半空中去了吧……小于呢，不客气地讲，那就是低级趣味，对年轻女同志和岁数大点的女同志不能一视同仁。”

于德利：“我觉得牛大姐还不光是看不到自己黑的问题，她简直把自己看成一朵花儿了，确实属于既不能客观地看待别人也不能客观地看待自己的典型。”

戈玲高声：“不要吵不要急，慢慢来，不要人身攻击。”

刘书友："戈玲这个人比较傲慢，好打扮……"

牛大姐："打扮得还特俗气。还有，她跟李东宝到底什么关系？成天嬉皮笑脸，彼此唱和，同出同入，一个编辑部的同志，嗄，很不正常！"

刘书友："不光是李东宝，她和谁都打情骂俏，除了我。我看南希就是学的她！"

戈玲愤怒地站起来，"什么叫不正常？什么叫打情骂俏？我这人天生就是一副笑模样。"

李东宝拍案而起："无耻！我觉得有的人就是专对桃色事件感兴趣，看似道貌岸然，思想肮脏得很！"

"不要吵，不要吵了！"老陈出面制止大家。"你们不是冲南希去的吗？怎么自己倒先互相攻击起来了？戈玲，刚才大家说的你记上哪条了？"

戈玲脸气得煞白："哪条也没记，说的都是人话吗？"

牛大姐又蹿起来："怎么不是人话？哪条说错你了？身正不怕影斜，你不心虚干吗暴跳如雷？"

刘书友也怒目而视，"告诉你，我早就对你的做派看不惯了——一直没好意思说。"

"我就这做派，怎么了？明告诉你，我还不改了！看不惯回家看你老婆去，少在这儿看我！"

李东宝也脸红脖子粗地与戈玲并肩站在一起，朝二老吼：

"你们以为你们做派好？全编辑部我顶烦的就是你们俩。工作不见你们抢，算计个谁议论个谁回回你们俩冲锋在前——你们说过谁好？"

牛大姐一脚踢翻椅子："不好就是不好，甭想让我说好！我也告诉你们包括于德利，牛某人这嫉恶如仇的脾气也不打算改了！"

陈主编摔了一个茶杯，低沉地吼道：“够了！你们像什么样子？你瞧瞧你们一个个的，哪有点社会主义编辑的风度？纯粹是泼妇骂街嘛！好啦好啦，我看也不要再说下去了，再说就伤和气了。也不必再挖什么人的弱点了，我看这就是人的最大弱点，只能说好的，一说坏的当场恨不得吃了对方。”

大家都闭了嘴，气鼓鼓地散开，回到各自的座位，互相看了半天，忽然都笑了，一个个都有些难为情：“就是就是，这真是咱们最大的弱点。”

接着，大家开始互相道歉，极其诚恳，骂人的拉着挨骂的手。

“小李小戈小于老刘啊，其实我刚才也是生气顺嘴那么一说，并不是真那么想。原谅你大姐，千万别往心里去。”

李东宝：“我也是一时昏了头，嘴上岗撤了，牛大姐，老刘哥，其实我打心里还是很尊重你们的。”

“明白，太明白了，老刘心里明镜似的，小戈呀，你别在意，还照平时那么穿，那么笑，老刘喜欢看。”

“其实你们说的也不全是疯话，我也真该拿镜子照照自己了，以后稳重点。”

“够稳重的了，年轻人就应该活泼点，到你大姐这年龄再装正人君子也不迟。”

“虚伪！”陈主编手点着大伙咂舌，“我看这也应该算一条。说了真话就后悔！”

“您也应该算一条。”戈玲笑说，“站着说话不腰疼。隔岸观火，比谁都圣明。”

“不能历数了，戈玲。”刘书友制止戈玲，“传出去猴子马都要笑破肚皮的。”

南希回到编辑部上班，发现大家都对她另眼相看，神色有些贼溜溜的，也没太在意，照旧干那些杂活，嘴里哼着《我想有个家》。

“南希，”牛大姐先开了口，“你不觉得你穿得像个‘鸡’吗？”

“不觉得。”南希坦然回答，“这样多凉快，我不怕别人看。”

“你穿那么紧身的衣服其实不好看，把你身材的缺点都显出来了。”戈玲说，“三分之一腰三分之一臀部三分之一腿。”

“特像蒙古马是吗？”南希沾沾自喜，“不一样就是不一样哦。”

“你怎么不要鼻子！”刘书友指着她鼻子骂，“要是我女儿叠巴叠巴塞马桶里冲下去！”

“会游泳，淹不死。”

“南希，南希。”李东宝说，“我是一个对女性不太挑剔的人，可是你真是让我恶心了。你怎么锻炼的？居然能这么赖？一条母狗也比你体面点。”

刘书友暗暗朝李东宝跷大拇哥：“有分量！”

“让我咬你一口哇——汪！”南希做了个鬼脸，笑嘻嘻地拎着拖把离去，在门口回头点着李东宝说，“吃不着葡萄就说葡萄酸。”

南希一离去，刘书友第一个跳出来，嚷：“她不是人，绝对不是人！”

“是啊。”牛大姐也道，“不管怎么骂，总是笑嘻嘻。她要是人，我真不知道我是什么了？”

“坏啦！”李东宝一拍大腿，“咱忘了重要的一条了——她不知耻啊！”

“先不要灰心。”戈玲说，“这还不能说明什么。有个人还没说话，她可以不在乎我们说她什么，但她一定很关心这个人对她是怎么看的。”

大家一起把脸转向于德利。

于德利脸通红：“我看算了吧，何必呢？她是人不是人，她喜欢这样就由她去吧。”

“不行。”戈玲道，“我们不愿意让人家当傻瓜耍，这事非得搞个水落石出。不想怎么样她，就要问她一个为什么！”

南希又回到办公室，依然笑吟吟的，满面春风：“今天社里发橘子，我去给你们领。”

戈玲用眼睛严厉地督促于德利。

于德利从座位上站起来，踌躇了一下，大步走向南希。南希看着于德利笑眯眯地问：“明天星期天，你不带你爱人出去玩？”

“瞧你丫那操性！”于德利冲南希劈面大喝一声。

事情在这一瞬间发生了深刻的变化，南希脸上的微笑凝固了，嘴半张着似乎完全被惊呆，可以清楚地看到那曾经牢固挂在她脸上的无耻像处在低温下的水银毫米汞柱迅速地下降，像烈日下床单上的水分迅速挥发。她的脸有如浇了一掬沸水顷刻通红，眼神儿如同遇见日光的变色镜渐渐变暗——泪水从她的眼底涌了出来，愈聚愈多，然后一滴一滴往下掉，犹如钟乳岩的水滴。

“对不起。”于德利低声咕噜一句，退回自己的座位。他经过戈玲桌旁时，看了她一眼，那一眼中充满了极度的憎恶。

戈玲羞愧满面，求助地看对面的李东宝，李东宝注视着她的眼神十分冷漠。

“她哭了，她有眼泪——她是人！”刘书友胜利地叫。

牛大姐毫无响应，她也不忍再看南希悲恸的形象。

南希走了，永远从编辑部消逝了。她没有再说一句话，不管后来人们怎么盘问她。人们既不知道她的真实身份和姓名，也不知道她的去处。

她为什么要这么干，也永远得不到答案。

于德利曾在全城到处找她。

那个 OBM 公司是个专门用进口残次部件组装游戏机，转手倒卖的骗子公司。

OBM 公司根本没有孙亚新这个人。

（原载《花城》1991 年第 5 期）

修改后发表

“昨天晚上我看见你了，在西单‘百花市场’，和一个男的。”李东宝对戈玲说。

“昨天晚上我就没出门。”戈玲回答。

“绝对是你，我仔细张望了一下。”

“是不是我我还不知道？你肯定认错人了。”

“你们从‘百花市场’转完出来，又进了‘豆花庄’，一人吃了碗‘龙抄手’，又合吃了一碟‘叶儿粑’。”

坐在另一张桌后吸烟出神的于德利，看了一眼李东宝，弹弹烟灰说：“你跟踪了？”

“邂逅。”李东宝说，“当时我正好骑车逆行被警察喝住在路边接受批评，一边东张西望。”

“那就是有这事儿了。”于德利说。

戈玲一笑。

“其实你就是承认了也没什么。”于德利劝戈玲，“东宝的意思也不是要跟你算账。”

“是没什么，问题是我根本没跟人去逛过、吃过西单。”

“这就是你不诚实了。”于德利咳嗽着摇头叹息，“这样我就不喜欢你了。”

“那也只好让你不喜欢了。”

陈主编拿着份稿子从他的套间里出来，对李东宝说：

“这稿子我看完了，还不错。”

“您要觉得不错，那就是真不错了，那就用吧。”李东宝接着对戈玲说,“就是,我也没想把你怎么样。真不喜欢你这么不坦率。”

“篇幅我觉得过长，是不是请作者压缩一下？”陈主编说，“另外有些小地方最好再做些修改。”

“是是，我也觉得有些地方换种写法更好。”

“那就把作者请来谈谈。”陈主编说完离开，去上厕所。

“什么稿子？”于德利问。

“言情。”李东宝有口形无声地说。

“写得好吗？”于德利随便一问，操起稿子翻阅。

“就那么回事，比‘穷聊’的略强那么一点。”李东宝转而继续对戈玲调侃，“似乎很亲密嘛，一路手挽手。”

“当然啦，既然是轧马路，当然得找那感觉。”

“我能拿回家翻翻吗？”于德利翻了两页稿子，问李东宝，“这几天跟老婆没话，正想找点言情小说看。”

“拿去吧，想着还回来。”李东宝问戈玲，“今儿还见吗？”

“见。”戈玲回答，“每天都得见，不见想得慌。”

“那爷们儿帅吗？”于德利认真问东宝。

“我不觉得。你见过那种遭了雹子的茄子吗？看上去也是紫色儿，一摸上去净是疤瘌。”

“哈！”远处正在埋头看稿的老编辑刘书友冷不丁大笑一声，忙低头加倍严肃地看稿，无声无息了。

另一位老编辑牛大姐怅惘抬头，缓缓逡巡，睥睨群小。

“我就喜欢那粗糙的感觉。”戈玲盯着李东宝，“——刚劲！”

于是李东宝便给《风车》的作者林一洲打电话，冒充公安人员。林一洲捧起电话聆听时牙齿的磕碰声清晰可闻。

林一洲放下电话，再三叮咛自己：沉着，一定要沉着。这仅仅是个好兆头，没见到铅字前，什么意外都可能发生，过早宣布，将来被动，但眉宇之间还是像番茄汁溶于水渐渐漾出一层喜色，与板着的脸蛋、紧绷的双唇恰成对照，似喜似悲，令环室四布的同事们好奇心倍增。

老婆劳动了一日回到家中，见林一洲兀自发怔，嚼话梅似的品尝咂咂一脸回味无穷的快慰，平日分工他管的家务一样未动。老婆也是疲惫，无力吵骂，唯有赌气踞坐，满脸挂霜，心中自叹命苦。

林一洲“沉着”半日，已然按捺不住，终于丢了矜持，歪头朝太太嬉笑，引太太发问。

老婆一脸鄙夷将张口未张口，林一洲已自动报了喜帖子，初还有所保留，继滔滔不绝，后已俨然既成事实。

这老婆本是那一等势利妇人，平日最恨丈夫无能，好争些闲气的，如今一听，焉能不化怒为喜？

“早该这样的！叫他们压了你这么些年，应该去质问质问，把稿子摔到他们脸上，亏你还想着感激。”

倒是丈夫比较谦虚。

“都要受这折磨的，哪有不坎不坷就顺顺当当成大事的？好在已经挺过来了，从此再不该有谁难为得住我了。”

“明天去，把你那些被全国退过的旧稿子都带去，让他们一气儿发了。”

“不好不好，要谁退的谁发才有趣儿，当然我还是要给他们台阶的，不能弄得人家太难堪，将来还要做朋友。”

“就你心眼好，人家退你稿可是眼都不带眨的。”

“越是得意越该有气度，板子也挨得香饽饽也吃得。奇怪，我现在竟一点不记恨他们了。”

两夫妻说说笑笑，吃了晚饭。老婆本来想炒盘硌窝蛋以表祝贺，被林一洲婉拒了。他恳切地说：“以后只怕吃不上这样的饭了。”

待收拾完睡下，林一洲身上撂着老婆的大腿，回忆起一生的酸甜苦辣，从此都要告别，竟呜呜地哭了。

老婆也辛酸，陪着掉了若干的泪，饶着说上些不咸不淡的话。

惹得林一洲哭完倒恼了，体味出了些越王勾践报了仇之后的心境，在黑暗中任凭老婆抚摸冷笑不已。

次日，林一洲梳洗完毕便直奔人间指南编辑部。

路上，他为自己举子看榜似的激动心情十分羞愧，连连责骂自己的不成熟：美什么美？可不是应该的？和那些福童比起来，你已经晚了。

这么骂着、怨着，一路走着，到底才算从容了一些，端庄了一些。

在水泄不通的公共汽车上遭了一肘，也并不暴跳，瞥了一眼那戴眼镜的鲁莽汉子，悠悠地想：日后才叫你知道我呢。

“你好你好。”

李东宝与林一洲热烈握手，握完让座，笑吟吟地望着他，并不言语。

“还好吧？”林一洲问，掏出烟敬李东宝。

“好，老样子，就那么回事。”李东宝摩挲着烟，语焉不详。“你怎么样？”

“准备写一新东西，正在打腹稿——有火儿吗？”林一洲东张西望。

“火儿？”李东宝也茫然四顾，再三觑视这厮。

林一洲看出蹊跷：“您不记得我了？”

“噢……”

“我姓林。”

“噢，”李东宝终于笑得实在了，“《风车》的作者。抱歉抱歉，每天见的人太多。等一下，你那个稿子我们主编有意见，我叫他来。”

李东宝起身去主编室。

戈玲对于德利笑：“我发现好几回了，两人聊了半天，还不知道谁是谁呢。”

李东宝回来，对林一洲说：“主编在接一个电话，完了就过来。”

他坐下后继续和戈玲胡扯：“他是干吗的——你那位？”

“这得问你，我哪知道？你希望他是干什么的？”

“肯定不是编辑吧？”于德利说。

“肯定不该是。”戈玲说，“我不能一错再错。”

“戈玲，作为同事我有责任向你进一忠言。”李东宝十分严肃地说，“生活作风是个大问题。”

戈玲正儿八经地点头：“知道了。”

“要为其他女同志做个榜样，自尊自爱。”

“一定。”

“切莫将身轻许人。”于德利插话。

“你吃醋吃得没什么道理吧？”

"我不过是殷切期望。"于德利说,"我是没有自己的私利的——你把我看低了戈玲。"

陈主编搓着双手从里屋出来,笔直走到李东宝桌前:

"作者人呢?"

李东宝晃着身子找:"在你身后。"

独坐得十分无聊的林一洲忙站起来,与正转过身来的陈主编冷不丁打一照面,急忙上前握手。

"坐吧坐吧。"陈主编就势把林一洲按回到椅子上,转悠着给自己找座。

"坐我这儿。"戈玲抬屁股起身,让出自己的座椅。

"抱歉,把你挤走了。"陈主编含笑。

戈玲也含笑,拖了把椅子到于德利桌旁打横坐下,两手放在桌面交叉抱拳,眸子盯着于德利闪闪发光。

于德利抬头发现戈玲的目光,一怔:"没什么用意吧?"

"没有,随便看看。"

"喝水。"于德利把自己的茶杯推到戈玲眼前,低头继续看稿。

戈玲端起茶杯揭盖儿喝了一小口,眼睛转向李东宝那边。

"这是我们主编,大拿。"李东宝为林一洲介绍。

林一洲并不应声,只是低着头从自己手里的烟盒中费力地抽出一把烟,敏捷起身向屋里的所有男人分发。

"谢谢,不会。"陈大拿摇手谢绝。林一洲还是在他面前摆上一支。

"刚才给我那根还没抽呢。"李东宝举着那支完整的烟说。

林一洲执拗地把烟再三伸到他鼻前,李东宝只好接过去,一手攥一支。

于德利双手接住飞来的烟,看看牌子嗅嗅味儿,叼在嘴上一边用手在身上摸火柴一边继续看稿。

刘书友用严厉的表情和斩钉截铁的手势使林一洲知难而退。

林一洲把烟装回兜里，坐回到陈主编对面恭恭敬敬像陈主编的小学生，不知是他原本不吸烟还是见陈主编没这嗜好自己也忍了。

“稿子我已经看了，印象不错，想听听你的想法。”陈主编笑眯眯地像个和气的弥勒佛。

林一洲紧张地在椅子上挪了挪腚，坐在椅沿儿上，沉吟片刻，匆匆开口，眼睛无比真挚地望着陈先生。

“这篇小说我认为是我写得最好的一篇小说——当然是我认为！这是第六稿。没人逼我，属于我自己严格要求自己。我总这么想，一部作品拿出来，要经得起时间的检验，不能光发就完了。赚钱嘛，不如去卖包子。既然是艺术品，就得几百年后从地里挖掘出来，噫，如获至宝。”

于德利一边翻到稿子的最后一页，把落款儿小声念给戈玲听：

“一稿于亮马河畔；二稿于永定河畔；三稿于护城河畔……”

戈玲问：“小说是写海军的？”

“我懂你的意思。”李东宝说，“你是拿出写名著的劲头写的这玩意儿。”

“可能我有点过于自信了。”林一洲严峻地说，“但我确信，我这部小说目前在国内是一流的。如果翻译成英文或广东话，尽管语言上要损失一部分，也不会低于二流。”

“有人要翻译你这……东西吗？”陈主编很感兴趣。

“嗯，我的一个学英文的朋友看了几行便很激动，准备学会英文后立即动手翻我这篇小说——广东话的全被我拒绝了。”

戈玲向李东宝递了个眼风，尽管李东宝纹丝未动，还是被林一洲捕捉到了。

“倒不是别的，我是汉语作家，所以还是希望首发权给中文刊物。”

“那倒无所谓。”陈主编说，“如果你能首发在外国刊物上，我们也可以当做海外文摘转译回来，没准儿更能扩大影响。”

“我们不是特在乎。”李东宝说，“译文有的好的比原文都精彩、隽永。”

“别了，别了，还是发原文吧。”林一洲说，“汉译英，英译汉，最后成三十年代的现代派了。”

“就是，就是，”于德利说，“不留神忘了，没准儿还会把自己当做一个外国大作家佩服一遍，崇拜一回。”

戈玲：“没准儿还会告外国作家剽窃自己。”

林一洲看着戈玲和于德利，有点琢磨不过来的样儿，掉脸再看陈主编，又从容了。

“我把稿子给贵刊，真是出于对贵刊的信任。我始终认为贵刊是国内的一流刊物，图文并茂，趣味高雅，是思想性、知识性、趣味性三性结合的比较突出的好刊物。我一直密切关注着贵刊，几乎期期都看。不瞒你们说，我不是随便什么刊物都乱看的，很多有名的刊物人家越说好我越瞧不上。也不知怎么搞的，我也恨自己没毅力，偏偏对你们刊物，一期没看到就丢魂落魄，不得不佩服贵刊编辑的水平和眼光——抓人。”

“哪里，我们做得还很不够。”陈主编谦逊地低下头。

戈玲、于德利脸红扑扑的，哧哧暗笑，再射过来的目光不约而同地柔和了。

“您别这么说，我们可不经夸。”李东宝也有几分羞涩。

“我绝对不是夸你们，何必要夸？我这人天生就不会恭维人——是事实。陈主编说的是对的，一个刊物，办好不容易，办坏很轻松。所以我没有找那些大刊物，直接就来找你们。我认为一流的刊物就必须有一流的稿子。我认为你们现在缺的就是我这种稿子！”

林一洲目光灼灼地望着大家，一手在衣兜里摸索，掏出一支皱巴巴的烟点上，语重心长地说：

“自满不得吧同志们。一期马虎，没有过硬的稿子，读者就会失望，下期就不买你的账了。”

“我们应该把这作为读者对我们的鞭策。”陈主编因势利导，旋而又对林一洲和蔼地说，“我们具体谈谈稿子好吗？”

林一洲一愣：“没谈吗？噢，是没谈。能把稿子给我翻翻吗？”写出来很长时间，印象有些模糊，光记得是好稿子。”

“稿子？”李东宝连忙在自己桌上翻，“稿子叫我搁哪儿了？”

“这儿呢。”正看了一半的于德利把整部稿子借戈玲的手递过来。

林一洲接过稿子，铺开，一边吸烟一边皱着眉头看。

于德利伸了个大懒腰，打了个呵欠：

“看了一半儿。”

一个胖胖的采购员模样的中年男人拎着个黑人造革包进来，笑嘻嘻地和大家打招呼：

“几位，好啊。”

“老张来啦，多日不见。”大家七嘴八舌和他笑着打招呼。

“老陈，又胖了一圈，怎么搞的？”

“噢噢，来了个作者，正在谈稿子。”

“东宝，见我假装不认识？于德利，我不跟你说话，不够意思，到我家喝酒还自己带酒。戈玲，又漂亮了，我真恨自己早生二十年。

大姐，老刘。我就佩服我们大姐，什么时候来什么时候都在认真工作，哪像我，总闲逛。老陈，赶明儿我也到你手下当个兵。”

“我们哪敢劳您的大驾？”牛大姐笑说，“到我们这儿岂不是委屈了您这位京东才子。”

“来我也不要，光会说不干活。”老陈也笑说。

“到我手下当编务吧。”戈玲笑说。

“行，我就伺候咱们戈小姐。”张名高把包放在于德利桌上，拿过电话开始拨号，把话筒按在脸颊上笑眯眯地等着通话。

戈玲：“又给谁打电话？一天就见你忙。听说你都跑去给中学女学生上文学辅导课了？”

于德利：“损点儿吧老张？也别忒赶尽杀绝。”

“我这是给我老太婆打电话。”张名高把电话换了只手，“……喂，我今天不回去吃晚饭了。我现在人间指南编辑部，跟他们要谈些事，稿子的事。晚上要去法国大使馆参加个活动……”

林一洲在一边眉头忽然舒展，以手加额，叫起来，

“噢，对了，我写的是这么个意思：呼唤……”

他看到大家都笑脸向张名高，停下不说了。

陈主编在一旁：“请说，我这儿听着呢。”

林一洲又挪挪屁股，凑近陈主编：“我写的是个爱情故事，可呼唤的是理解，歌颂的是善良，传达的是对美好生活的向往的心声。”

老陈频频点头：“嗯嗯，接着说。”

“其他的就不必多说了。我认为我们现在社会非常需要真善美，因为人人假丑恶又不太甘心。所以那什么连续剧引起那么多坏人感动，这里有很多经验值得总结，饶有趣味……”

“老张，要喝水自己倒，我这儿顾不上照应你。”老陈扭脸跟

张名高寒暄。

“跟我你还客气？忙你的。”张名高使劲摆手，问戈玲，“我那稿子一校出来没有？”

林一洲气鼓鼓地停下不说。

“你的本意是劝人向善？”李东宝适时插话。

林一洲并不理他，待老陈重新面向他时，才眉飞色舞往下说：

“爱情是美好的，爱情里的人自然也是美好的，当爱情真正降临时，一个人想坏也坏不出来了——要是人人都拥有一点爱呢？”

“是啊，那社会空气一定跟海边似的。”李东宝第一个被感动了。

“人和人之间会多么和气。”林一洲也被自己感染了。

“那除了吃醋别的恶习一概没有了。”李东宝心神向往，“那倒好办了。”

“是啊，那我们还怕贫穷落后吗？”林一洲握紧拳头，“所有爱情降临到所有人头上……”

“可能吗？”李东宝清醒过来。

“还是可能的。”林一洲强调，“我对此充满信心，起码这么想想没大错儿吧？”

“想想是可以，可你这么写到作品中就不真实了。”

“艺术的真实不是生活的真实，这我刚学写字就知道了。”

“我说两句我说两句。”陈主编打断他们二人的争论，“稿子我看了，认为还不错，但有些情况我要对你作些说明。很感谢你对我刊的信任。你也知道，我刊不是纯文学刊物。”

“知道，所以你刊对文学作品要求格外严。”

“严倒不严，比较而言，我刊对文学作品还是稀松的。主要是篇幅问题，不可能发很长的文学作品。咱们这么说，你这东西是好东西，可对我刊来说太长了。”

“我觉得我们办刊物吧，编辑方针应该很灵活的。有话则长，无话则短，别先把自己限制死了。”

“是，我们是有一定灵活性。像你这种小说我们要发也是连载……”

“现在是发三期稿吧？如果从四期开始连载，每期五千字，四万字发八期，哦，今年内还能发完，可以，我同意。”

“小林同志，是这样的，我们编刊物有些稿件是要预先准备好的，譬如连载小说，期期要发，一般在一部小说刚开始连载时，我们就要立刻组下一部稿子，否则到时候现抓稿子就来不及了。你看我们现在正在连载的一个小说，四期发完，五期就要开始连载张名高的一部长篇，估计要连载一年，到明年五期……噢，你们还不认识吧？这是张名高同志，作家，写过很多东西，你一定听说过。”

张名高遥遥颔首致意，林一洲扫他一眼，未作更多表示。

“抱歉，这几年有点俗了，不大看小说，所以好多人都不知道。”

“没关系，不知道就对了。除了我自己，我也不知道还有谁写东西。”张名高转头对戈玲笑说；“连载也有个好处，税可以免了。”

“开诚布公地讲，”陈主编诚恳地对林一洲说，“现在我手里光长篇小说就有三部，都写得不错，很有味道，丝毫不逊于您的大作。”

“我听说不是文学危机、稿荒了吗？所以才有意发奋，本来我是钻戏曲的。”

“荒倒是较前荒了些，但也不到荒无人烟，很多老骥又出厩驾辕的驾辕，拉边套的拉边套。所以就是我们现在决定发你的稿，发出来怕也要到后年。我们考虑过要出一个增刊，不过这还要出版署批准，目前还不能成为现实——当然我是指你这稿子已经很成熟一个字都不用改的情况下。”

“您的意思是说，我这稿子基本上没什么希望了。”

“不不，你的稿子我还是很喜欢的，可以明白告诉你，我很想用。无害无益，现在正缺的是这种稿子。但我认为啊，这完全是我个人的看法，咱们还可以商量，你也可以提出你的想法，我认为这个稿子还有改的余地。可以改得更好！如果确实改完整个稿子提高了一大块，我就可以做这个主，提前安排。四万字不多嘛，紧凑些有三期我看就可以发完。现在我就想知道，你有没有这个决心改？”

“这么发也可以，只是有点可惜。”李东宝慢吞吞地说，“老实说，你这部小说是一部可望在二十世纪爱情文学中获得经典地位的作品——我这么说不过分吧老陈？”

“姑妄听之。”

“有这么严重吗？”戈玲小声问于德利。

“没看出来，可能我是个俗人。”

“这就叫杀人不见血。”张名高咂叹道，“老陈的刀子已经磨得飞快了。”

“怎么样，能不能下个决心？”老陈笑眯眯地望着林一洲，像个导师，“要相信自己的能力。”

“如果不改，你们是不是就不发？”林一洲望着老陈，“假设咱们不追求经典地位了。”

老陈垂下眼睛，一副很为之惋惜的样子：“在庸作充斥的文坛上再多一部庸作我以为不必要，何苦来？你写我印，占读者一点上厕所时间。”

“我们需要的是力作。”李东宝朝林一洲凑过去，“看完吓谁一跳或哭出声的那种。”

“你看呢，我想我们还是痛快点，已经说了半天了。”老陈的眼睛像马一样温驯。

“话说到这份儿上，我还能说什么……改吧。”

“小改，不必紧张，不动你的结构。”陈主编连忙安慰林一洲。

正在勾画自己的一校稿的张名高忽然抬头问戈玲：

“咦，我记得我这章是七千字怎么成二千七了？那四千三百字哪儿去了？”

“问牛大姐，你这稿子是她看的。”

“哪段儿？”牛大姐闻声抬头。

“东方剑和林小霞分手后回到西厢房和等在那儿的武玉清怎么没说两句话，外面院子里就‘哐啷’一响？我记得这儿原有大段的舌枪唇剑呀。”

“噢，我觉得那段有点多余，林小霞是东方剑杀父仇人的女儿，在这之前已然从秀姑嘴里道破了，读者都知道了。”

“可东方剑不知道，非得武玉清一语道破，否则再见林小霞哪来的那场厮杀？我这都是一环扣一环，中间拿掉就不接了。”

“接的，你都忘了，下一回开打前秀姑又亲自给东方剑递了番小话，惹恼了东方剑。老张，我正想给你提个意见，你这秀姑嘴也太碎了，到处搬弄是非，哪像个英雄之后？好汉们之间的那点误会全是她传谣传的。”

“这是套路，要没秀姑这么一搅屎棍子，那八方豪杰从始至终都是哥们儿，哪来的热闹？您给我把这段儿恢复了吧，跟情节无关，可说明人物性格呀。我记得我那段对话写得颇有文采，音节铿锵，都是押韵的……”

“总的感觉是爱情描写很好，很有几处动人。”陈主编对林一洲说，“最后看到悲剧结尾，我还不禁哽咽了。但哽咽之后又不禁起疑：有这事吗？有一种被人捉弄了一番的感觉。”

林一洲不禁微笑。

“我仔细琢磨了一夜，怎么会有这种感觉？又翻了稿子看了一遍，发现毛病在哪儿了。你这个爱情故事太单一，太纯粹……”

“我写的就是个纯情……”

“哦，不对，你听我说完，这不叫纯情。男女主人公就像生活在真空里，和我们的现实生活毫无关系，当然你这不是一个重大的现实题材作品，但毕竟你写的是个生活在现在的人。既然是个生活在现在的人，我们碰到的问题他如何回避？不可能不和其他人打交道，父母、朋友、同事一概没有，这就显得不真实了。”

“我同意老陈的意见。”李东宝说，“我看完也觉得人物有点空、虚。关键是来历不清，两个人过去是干什么的？有过什么经历？为什么这样两个人碰到一起就会一见钟情还死去活来的？过去的一点没交代就很难令人信服。”

林一洲：“我是考虑集中笔墨写两个人相遇后所发生的一切。我这篇幅已经很长了，再写过去，只怕一个长篇也搂不住。”

李东宝：“那个交代不用很多篇幅，点上一笔即可。”

陈主编：“依我看点不点两可，甚至都不用交代，一字不必写。但你，作者必须心里有数。好的作品都没什么交代，但人物的经历、家庭背景都能从人物的一言一行中透出来。插过队的和当过兵的就不一样；高知家庭和干部家庭又不一样；同是大学生，农村考上来的和大城市高中毕业上来的也不一样。这对性格有很大影响，我看你这个稿子要改好，这点非先弄清不可。”

李东宝：“其实这点要弄清了，写起来也好写，说话做事都有依据。你原来想过没有你笔下这俩人都什么经历？”

林一洲：“想是想过。原来我想男的是留学回来的，女的是要去留学的。”

陈主编：“不好，为什么总是在出国问题上打主意？时髦是吗？不是所有人都想出国的，我就没想过出去。这个国家还没到人人都要离它而去的地步吧。我不赞成人物这种身份，你这个想法已经使你笔下的人物不喝茶喝咖啡一闷了就听外国人弹的曲子，我刚才忘了跟你提这一点，这副德行令人生厌，完全是少女式的，统统改过来。”

林一洲：“我是讽刺。”

陈主编：“我看你那个津津乐道样儿，倒像是欣赏。”

李东宝：“可以有一个是要出国的，这也代表一批人。但不能两个都是，都是在类型上也单一了。男的可以是压根儿就没想过出国，就想在国内混，这也代表一大批人。”

林一洲：“您是说一门心思搞科研，事业心倍儿强的？”

陈主编和李东宝异口同声：“那倒无所谓，无所谓。”

李东宝：“这也俗了。”

“做生意的？公司经理？”林一洲试探地问老陈。

“不一定。”老陈连连摆手，“这个我们不管，不限制你，你自己去想。最好不要是劳改释放犯。”

“为什么非得是什么？”于德利在一旁不耐烦地插话。“不是什么又怎么了？怎么就老百姓当不了作品中的主人公？噢，不是知识分子不是大款就不是人了？干吗人人都弄得好像挺有身份，事儿事儿的——你就写个小痞子！”

“怎么这儿也给我删了，哎，牛大姐？”张名高又一边叫起来，“这太说不过去了吧？合着我这心理描写，您全给我删了，我这不成通俗小说了吗？”

于德利：“您以为您那不是通俗小说吗？”

“我这……当然！”张名高振振有词地说，“我是有意把个武侠小说写成纯文学样式，一是探索二是扳扳风气三是提高读者品位。您这么一撤，我这苦心全白费了，牛大姐牛大姐，您饶我一遭，给我恢复了。”

“不是不饶你。”牛大姐用笔敲着桌面说，“我能看不出你那用心吗？问题是你那雅和俗没捏到一块儿，红一半黑一半。读的时候你那点想法一目了然：这段俗够了，该雅了——能要吗？”

“我好歹不算文豪，也是个写字的老师傅——您把我说得也太惨了。”

“我跟你推心置腹说一句，老张。”刘书友拨拉张名高，“您真不是什么都能写，武侠我看了几十套，这也是单一功。”

“焉知我这不是创新？焉知我这不是另一种风格？不成，这不成，版权法上可有一条，作者有权保持著作的完整。”

张名高转身问大家：“你们谁留着版权法公布那天的《人民日报》了？”

戈玲：“没有，都没留。”

“我跟你说嘿作者。”于德利瞪着眼睛冲林一洲嚷，“我这不是意见，就算我给你提个质疑，你这稿子我翻了几页，明告诉你，我不喜欢。您也弄得忒酸了点儿，怎么这一男一女大街上碰见，二话没说光这一打量，女的就跟男的上他家了？当晚上还没走，当然睡没睡你没写我也不知道。这过程怎么就这么快你给我解释解释。”

“我刚才就说过，读者看完肯定会提这问题。”李东宝看林一洲。

林一洲被问得红了脸，振作回答：“我觉得吧，是缘分。我觉得吧，这一男一女能撞上而且有戏，不在他们多出众多有钱，走在街上是否打眼，主要看缘分，有缘千里来相会。”

牛大姐插话：“光有缘分还不行，还得有机会。”

刘书友不同意：“缘分就是机会，这是一个意思。”

“我觉得缘分和机会不是一个意思。”牛大姐反驳，“贾宝玉和林黛玉有没有缘分？因为机会不对，还不是一个抱恨终身一个撒手红尘？”

“那不还是没缘？”刘书友认真地说，“贾宝玉其实是和薛宝钗有缘。”

“你这不是抬杠吗？”牛大姐不高兴了，“木石前盟算不算缘？”

张名高小声问戈玲：“你相信缘分吗？”

“相信……”戈玲点点头，“一点。”

“我特别信这个！”张名高双手一拍桌子。

“照这么说谁跟谁都有缘了？”刘书友继续和颜悦色地与牛大姐辩论，“我跟你对桌坐着也有缘。”

“咱们坐一辈子也是同事！”牛大姐气咻咻的。

“还是的。我说的就是这意思，缘分必须是指爱情——情缘。”刘书友十分得意。

“贾宝玉和林黛玉算不算爱情？”牛大姐尖锐指出。

“当然得算！”闲坐半天的戈玲断然首肯，一跃而起，“那要不算就没爱情了。有没有爱情不能光看结没结婚。”

李东宝：“往往多数婚姻都没爱情呢——还！”

戈玲：“没错没错，我特同意你这观点。哟，李东宝，没想到你嘴里也能蹦出这么正确的话。”

李东宝得意地笑：“想听吗，还有。”

“也不能一概而论。”张名高发言，“有爱情不一定结婚，结婚也不一定没爱情。”

陈主编拿起那根一直搁在桌上的烟，林一洲忙划火给他点燃。

陈主编：“你结婚了吗？”

林一洲：“结了。”

“够累的吧？”

“累。您呢？孩子都挺大的了吧？”

“可不，小三儿都进过公安局了。”

“哎哎，你们是不是另挑个日子再开婚姻与爱情的座谈会，拉上妇联的侃侃？”于德利朝沸沸扬扬的众人嚷，“我这跟作者还没交流完呢——我刚才说到哪儿了？噢，既然好成这样儿，后来就该结婚，怎么又吹了？你这是悲剧吧？我没看结尾，不知道往后的事。”

“后来……”李东宝看林一洲，“后来也没出什么事对吧？”

“对，没大事，都是小事上过不去。”林一洲说，“感情依旧，生活习惯产生矛盾，不断冲突，不断累积，只好分手。”

于德利：“挥泪分手？”

林一洲：“嗯，哭过一场。”

“这听着倒有点意思啊。”张名高对陈主编说，“硬拽两把，能跟‘新写实’套上。”

“嗯，改好了相当有意思。”陈主编仰头吐出一个又大又浓的烟圈。

“烟圈烟圈。”戈玲指着笑，“还说不会抽，老烟枪了。”

“不行了。”陈主编笑着挥手赶散烟圈，“过去‘文化大革命’的时候，我还能吐出一条‘毛主席万岁’的标语呢。”

“哎，女的认识男的之前另外有男朋友吗？”牛大姐探着头问林一洲。

“没有。”林一洲回答。

“男的呢？没跟谁竹马青梅？”刘书友也问。

“也没有。”林一洲客气地答复。

“那不好，应读有。你说是不是老牛？”刘书友挺不满意，“应该多设些相思局，多来几角儿，抱起这个放不下那个，这才好看，也真实。我们人的处境都是介于两难之间的嘛。要多写写我们这一代人的苦恼。”

“应该有一个不要脸的女流氓或者男流氓，总在里头捣乱，不让人家好好过日子。”牛大姐说，“批判批判那些不道德的第三者。干吗专搞别人的配偶？”

“就写女流氓吧，比较普遍。”刘书友瞪着眼睛绘声绘色地说，“听说了吗？皮肤科的号现在最难挂，全是年轻妇女排长队。”

牛大姐：“一个巴掌拍不响，我还听说男澡堂全改药水浴了。”

于德利：“我觉得你们俩的想法都够俗的。干吗非得是个流氓？正人君子就不脚踩两只船了？要我写，就写一水儿的良家妇女一水儿的优秀青年，温柔善良，道貌岸然，有那么三五个花搭着爱到一筐里，那才难分难解，撕捋不开，把谁择外边都是伤心事，还怕不是悲剧？”

牛大姐：“倒是倒是，言情小说是这套路，好人们搅在一起你忍我让的倒是不如坏蛋来得干脆——这我太有感受了。”

刘书友：“让来让去，全耽误了。深刻。你就这么写吧，写出来准轰动，好人多嘛。”

于德利拍林一洲肩膀：“哎，老林，我给你出这高招儿得收费吧？”

“几位老师，我是那么想的。”林一洲耐着性子给大家做解释，“就写俩人物，从头到尾，写足写透。我不想用什么第三者呀、门第差别呀、金钱诱惑呀包括不治之症之类的所有属于外部原因造成两个人的关系破裂，纯粹是两个人之间互相设置的障碍造成隔阂，酿成悲剧。之所以我不写像你们几位老师刚才说的那些人物纠葛，就是想和其他描写悲剧爱情的特别是名著区别开来——陈老师您说我这么想对吗？”

陈主编：“想法不能说不好。但下笔前完全考虑周到了删繁就简地写和写的时候根本没想到，从作品上还是看得出来的。”

于德利：“我觉得你这么写没劲。两个人的事有什么好看的？肯定啰唆，当然你要写得好，像人家那《两个人的车站》也行，你能吗？”

刘书友：“人外国还有一个人演的电影呢。”

于德利：“还有没人的呢，《狐狸的故事》，那得大手笔，你不是，咱中国人也不认这个。还是老老实实的吧，写点中国人民关心的事吧。大伙儿关心什么？就是挑花了眼了，瞅见什么都好，得了自己那份儿还嫌不够，甭管媳妇也好，钱也好都想拿双份儿。”

“哎，东宝，你看过前一阵演的那外国片了吗？”戈玲忽然问李东宝。

“没有，什么名字？”

“哎，倍儿棒，什么名字我给忘了，是讲时间的。”

“我看过，是科学幻想吧？”刘书友说。

“不是，言情片！”戈玲说，“就前一阵咱这门口影院演过的。”

“我知道你说的那部片子。”张名高说，“女主角是不是长得有点像陈道明？”

“没错，是不是特棒？东宝你应该看看那部片子。”

“还演吗？”

“不演了。”戈玲对林一洲说，“我建议你也应该看看那部片子，刚才我听你说话一下想到那部片子，肯定特有启发。人家也是写爱情，也是写悲剧，也没有讲门第呀金钱呀疾病什么的。而是写时间，时间使爱人分离，永不相聚。绝吧？深刻吧？没有任何人为的东西可以拆散一对真正相爱的男女，但在时间面前他们注定要失散。”

于德利一拍大腿：“哎哟戈玲，你这一说我浑身一机灵。”

张名高也扼腕叹道：“人家那故事编得，不服不行，极干脆地讲了个啰唆的故事。”

“你听懂他们说的意思了吗？”刘书友问牛大姐。

“扯臊！”牛大姐轻蔑地一晃头发。

“我也没听出什么有意思来。”刘书友问戈玲，“时间怎么会妨碍爱情？日久见人心。”

“你真是不开窍！”于德利拦住正要开口的戈玲，“你甭管，我来问他，时间的尽头是什么？”

“嘁！我不懂？”刘书友说，“时间的尽头还是时间，时间是没有尽头的。”

“可对一个人来说呢？”李东宝上身一冲，问道：“譬如说你。”

“我？”

“对呀，”戈玲接上来说，“时间对你是有尽头的，尽头是什么？

死亡！”

于德利：“懂了吧，你逃得了一死吗？”

刘书友：“可我不怕死，民不畏死……”

众人一齐扭脸侧目：“没劲没劲，这么说就是耍赖了。”

刘书友：“本来嘛，精神不死，浩气长存。”

戈玲：“谁跟你讨论精神了？先弄清这儿说什么呢再搭话。”

张名高慢条斯理地开口：“而且时间本身也是有尽头的。地球爆炸了，时间就消失了——你否认吗？”

目光灼灼盯着老刘。

众人：“没词了没词了，这下问住了。”

牛大姐也笑。

戈玲对林一洲说：“你要能写出这种类似人那外国片的东西，那你就名垂千古了。”

“垂了千古又怎么样？千古之后呢？”刘书友说。

“你瞧，你这人就专门抬杠，那么大岁数。”于德利批评刘书友。

“怎么，你还想搞一言堂？”刘书友瞪眼。

李东宝问戈玲：“哎，你刚才说那片子你那儿有录像带吗？”

“没有。”戈玲说，“不过我可以找人借。”

“我那儿倒有一盘，不过录得不太好。”张名高说，“回头我借你。”

“好。”李东宝看着手表，站起来伸懒腰，“快开饭了。戈玲，中午借我点饭票。”

“咳，”戈玲指指林一洲，“你别把人家作者晾这儿，中午请人家吃一顿吧。”

“噢，”李东宝再次发现林一洲，接着转着脖子四处找，“这老陈呢？怎么眨眼工夫就不见了，溜得倒快，话还说着半截儿。”

李东宝对林一洲说：“怎么样，就谈到这儿吧？你回去就这么改，改完尽快送来——都清楚了吧？”

“嗯，嗯，”林一洲不太有把握地说，“给人物设计个来历，背景弄实在点儿。”

“差不多是这意思。”李东宝颠着脚问，“你估计多长时间能改完？”

林一洲说：“我白天得上班，只能晚上干。怎么也得十天，最多半个月。”

“反正你抓紧吧，饭多吃点觉少睡点。”

“我是不是要跟陈主编告个别？”林一洲问。

李东宝陪着林一洲进了主编室。老陈正在拿手纸擦着饭碗。

“哟，还没走哪？都谈完了吧？”陈主编一边擦着饭碗一边朝林一洲颔首点头。

“谈完了。”林一洲说，“那我回去就按着这改了。”

“啊，不一定非按我们的改。”陈主编拿着擦得锃亮的饭碗绕桌走过来，“我们的意见都是提出来供你参考，不一定合适。你是作者嘛，还是要尊重你的意见，你觉得好的地方你就坚持。”

“嗯，好。”林一洲连忙与老陈那只不拿碗的手相握，“感谢你百忙中那么仔细看了我的稿子，还提出了那么些宝贵意见——李编辑，也感谢你。”

林一洲一手拉一个。

“应该的。”老陈脱出手腕子说，“好好改，你还是很有才华。我很希望看到你通过我们刊物步入文坛。”

“还得请您……和您，老师们多指点。”林一洲暗忖：作肉麻状没我想的那么艰难嘛。

“噢，有一点我刚才忘了。”陈主编叫住一路点头哈腰倒退着用屁股顶开门欲溜走的林一洲，“你那个稿子中对话里有些调侃最好不要。没必要嘛，神圣的东西还是让其神圣好啦，不要随随便便拿来开玩笑，有什么意思？就你聪明？并不显得深刻还徒然惹事。”

“好，好，我一定，统统删掉。”

李东宝陪伴林一洲下楼时，对林一洲说：

“我倒觉得你那里有些对话不应该删，写得挺好。你甭听老陈的，他这人胆小，就怕出事，哪那么容易就出事了？我还告你，你要是把对话里那些骨头都剔了，你这小说就没法看了。我喜欢的还就是你那对话。还有，需要增加情节和人物你就尽管加，不要考虑篇幅。不怕长，只要加得好，多长我都给你发。其实我觉得你这小说发展好了能写成一个特不错的长篇。”

李东宝说完哼着小曲儿扬长而去。

林一洲觉得今天的阳光格外刺眼。

林一洲默默地乘车，默默地步行，默默地掏钥匙开门进屋，默默地坐了一会儿又默默地躺了半天，然后默默地做饭，默默地和老婆一起吃掉，默默地抽了几支烟喝了两杯，开口骂了一句：“操他妈！”心情才好转过来。

他把那沓稿子从包里掏出来，坐下懒洋洋地看。

老婆在一边说：“干吗非得改？不改不行吗？咱豁着一个月吃素油印了它。”

林一洲便说：“甭招我啊，我这儿正烦着呢，小心我跟你急。”

“他们这就是欺负你老实，怎不叫别人改光叫你改？回头我找他们评理去。”

“去去，少跟我这儿聒噪，你哪懂我们文人的规矩，净老娘们儿的是非。”

林一洲赶走老婆这才重新看稿。昨天还对往昔兀自恋恋不舍，今日方知这种日子一刻也挨不得，于是加倍努力阅读，心倒渐渐定了下来。

看着看着，不禁为自己的机智忍俊不禁，不禁为自己的细腻、洞察入微欷歔不已。看完稿子已是一身大汗，拍桌喝道：

“挺好的嘛！这帮瞎了眼的王八蛋！”

骂完仍旧按着王八蛋们的旨意深入思索。

大凡林一洲这等人旷废时日端出来文字犹如乡下妇女缝的土布小褂，款式不说，针脚却是密密匝匝，如今拆了改旗袍，光拆线就颇费手脚。

林一洲定睛看了半夜，于文中看出几处破绽，有了入手处，便忧郁地上床睡觉去了。

此后的几日，他像个缝穷婆似的东拼西凑。后来笔走顺了，自己变出无穷花样，竟也写得兴致勃勃，不留神就涨出七八万字，一发不可收拾了。

俟其终篇，回头一看，本属旁逸斜出的一枝竟百花丛生独成篷伞大树，余者皆在荫下。

初时还有几分慌张，细一打量，又觉别有洞天，更其深邃，更其秘不可测。不免得意，不免诧讶：我还有这么一手？

掩卷长思：妈的要是没人管我，我还了不得了！

倒是狠下心来把原稿文字尽行删除，留待日后唾沫成珠进以佚文发表。

狎思之余，不由小瞧了《人间指南》诸辈，暗自发恨：再来呀，难得倒我吗？毕竟东流去！

李东宝这几日正为一条大尾巴狼生气。这是位素以铁肩担道义舍我其谁著称于世的老字儿匠。这二年政通人和，他也撂荒了，终日长嗥其声如蚊，自是有几分寂寞。前日携眷来京串门带割痔疮，宰到《人间指南》头上。老陈念其风华正茂时赏过《人间指南》的脸，指派李东宝陪同接待。

想《人间指南》一个芥豆似的机构，在华盖云集的京城里，哪有他们横冲直撞的份儿？腰里又不趁几两银子。住旅馆，上医院，买车票全得靠死皮赖脸。李东宝为使老字儿匠事儿顺，连平时自己舍不得用的路子都献了出来，承了偌大的人情，孰料老字儿匠临走还不满意。本来是客气，跟他约两篇小稿，他倒破尿盆——端起来了，昂着脸不理人。真是割了鸡巴敬神，神也得罪了，自己也疼死了。

林一洲去送稿那天，正赶上李东宝在编辑部开骂：

“以后这破事甭找我，有那工夫我养两条金鱼好不好？”

并没林一洲的干系，可他还是立时瘟头瘟脑，似乎骂了瓷缸子，他这捏瓦盆的也跟着问心有愧。

李东宝见了他，倒还客气了，虽仍一脸盛气，话说得却也和缓。

“啊，来了，稿子改完了？”

“完了完了。”林一洲捧出新誊清的手稿递上去，几分拘泥几分谄媚，“按您说的改了，多了几万字。”

“放桌上吧。”李东宝不无腻歪地看了眼那一大厚摞稿子，问，“怎么样，改得感觉如何？”

这倒叫林一洲不好回答了，本来兴冲冲想描绘些新改的得意之笔，看李编辑这副嘴脸，也不是倾心而谈的气氛。讪讪地说：

“您自个儿看吧。我自己觉得还不错，我爱人看了新改的这遍，仍然哭了。”

“好好，回头我看，哭不哭可不一定。”李东宝接着对众人发牢骚，“我就烦老陈这点，什么文丐文妓都拿当爷敬着。有什么呀？没了谁的稿子还不一样办刊物？就说那张名高，他说把删掉的恢复了就一个字不落地赶紧给人全补上了。我看就该删！”

众人只是笑，似点头赞同，可并无一人应声附和。

林一洲坐了一会儿，见没人答理他，一支烟抽了半截便灰溜溜地走了，到粮店排队买切面去了。

那边李东宝生了一日气，晚上回家睡了一觉，第二天班倒也若无其事，照旧有说有笑的，一边和戈玲等人说着闲话，一边看林一洲新改的稿子。因为对前一稿已全无印象，这稿看下来倒也不觉得突兀。

看到三分之一处，牛大姐拿了一个邻居中学生的习作让李东宝看，十分紧急，明天人家就要听回音。于是就放下林一洲的稿子，看那十六岁少年的踏青心得。

少年的文字稚拙，感情鲜嫩，倒使李东宝看得轻松，生出几分语文老师的雅兴，提笔批改，念念有词，挑出常人不及处朗诵给大家听，众人都叹：

“真是不错，这岁数就有这等沟壑，劝劝他父母，将来千万别当工人农民。”

牛大姐也觉脸上有光：“这孩子我看着就像有出息的，闲来无事也没少点拨他。”

后来李东宝把稿子还给牛大姐，说：“还是等他再长长吧，我说的不错也就是在中学当手抄本不错。”

牛大姐还要力争。

李东宝劝道：“太早出名对他也没好处，没准儿毁了他呢？哪次作文课让他把这东西交上去，肯定得优。”

牛大姐不得已求其次：“退也得你给写个意见，以示郑重处理过，我们是街坊不好说话——平时我净勉励他了。”

李东宝就去求戈玲：“麻烦你给写个意见，我这儿敬礼了。”

戈玲也不傻：“又往我这儿推，我看都没看怎么写意见？”

李东宝便央求：“好写，所有初写者的毛病这儿上全有，还不好写吗？”

倒是于德利听见大包大揽：“不好退给我，不是小孩写的吗？我有个朋友刚在云南办了个红领巾刊物，就想找个真小孩写的稿子突出儿童性、低幼性，不管好歹。”

还是牛大姐负责，有眼光，对于德利说：“你别坑人家孩子了。”一把夺回稿子，用左手写了几行言不由衷的褒贬话。

三混两混，日未过午，李东宝已经觉得一天的工作干完了，叼着烟去别的编辑室找相好的聊天去了。

林一洲逍遥了几日，自第五日起开始狐疑，心神不定，日益为甚。屈指计算，五七万字的稿子一边打盹一边看，有三天也该看完了。再转给陈老汉，速度降几十公里，一星期也看个大概了。就算写得深奥、曲折，几个笨蛋要再费几天猜谜，一个月怎么也该批出来了。莫非拿不准报上去了？如此一想倒把自己吓了一跳。想去探个虚实，又怕人家笑自己小样儿。几次拿起电话，拨到四五个号便没了勇气。有次愣撑着拨通了，对方一张嘴，吓得逃也似的扔了电话就跑，看电话的老太太追了好几条街，最后在联防队员的协助下，才把他擒住。

心情郁闷，嘴上还强努着，跟老婆那儿不承认，往好处估计着。“没动静就是快了，没准儿已经发了，所以关键还是盯着点下期刊物。”

老婆也是意在凑趣：“这篇彻底脱手了，下部长篇该动手了。”

“动手动手。再接再厉。”林一洲很认真的，“否则群众刚见识我掉脸又把我忘了。”

“长篇写谁呀？”老婆娇俏卖痴。

“还是写你。”林一洲庄严保证。

林一洲已经觉得自己被证明了是有毅力的人，再等下去，就成二百五了。终于提电话给《人间指南》打了一个问询。接电话的是个女同志，居然说不知道此事，这下可给林一洲气坏了，还是和和气气地百般提醒，软缠硬磨，让人家去查，点了李东宝和陈主编的名讳。那女同志去问了一遍，回首说那两个知情人都不在，让他过后再来电话或留下电话号码等他们打回去，说了些他们如何忙稿子如何多让他再耐心等等的便宜话，不等他讨情便挂了电话。倒好像是他求他们似的！彼时其他那些碰了壁的编辑部的客气回信一齐在林一洲脑海中涌现，都成了求贤若渴，此处不留爷，自有留爷处的证据。

林一洲真想索性撤了稿子，另登高枝，让《人间指南》后悔去。并想象了些如何在得意之后见到那些小人雍容大度的举措和轻轻射去的眼神儿，一路演习着，给谁都是白眼儿。

好在很快醒了过来，想想还是赌气不得。回忆了些关于大丈夫遇到此事应有风度，忍了，于晚风中体味了些悲凉和失恋的感觉。

如同那些痴心女子，林一洲还未彻底绝望，气愤过后便想出万般情由为失约的心上人辩解，满腹怨恨化为一腔体贴，伊人病了？伊人出车祸了？你虽焦头烂额身遭磨难可知我这里也正为你苦苦煎熬愁肠百结？何不让我为你分担些许？难道我还跟你讨价不成？

正胡思乱想，自怨自艾，老婆一步跨进来，拎着一兜鲜灵灵的菠菜，笑盈盈地打问：

“构思哪？”

如此邋遢老婆，焉能不让人火气上蹿？

林一洲大喝，“少跟我开这种玩笑！”

老婆撅着嘴：“瞧神气的，这就见不得人了？”

“我告诉你齐宝琴。”林一洲指着老婆训斥，“你要注意了。我还没怎么样，你倒先抖起来了。是不是出去逮谁给谁都吹了牛？事情坏就都坏在你们这些女人身上——一个星期不要来见我！”

其实林一洲打电话时，李东宝就坐在电话旁抽烟，一听找他便连连朝戈玲摇手让她说人不在。于是戈玲便把听筒在桌上放了会儿又操起来如此这般应酬了一顿。

戈玲放下电话对李东宝学说了一番。

李东宝笑嘻嘻地说：“让他着急去吧，我何必苦巴巴地又给自己找个爷？这会儿孙子似的，事成之后就不是他了，一个例外的可有？叫我哪只眼睛瞧得上？”

话虽如此说，还是动身找林一洲的稿子，翻了一气倒茫然了：“搁哪儿了我给？”

李东宝找了半日稿子，连柜底都翻了，问谁谁不知道，直到害怕了，刘书友也看完了那篇稿子，合上最后一页，对李东宝说，“在我这儿呢。”

既然稿子没丢，李东宝又不怕了。笔直地坐着，一眼一眼地看。外面忽然刮风，飞沙走石，编辑部又不断有人进出，他也不大看得进去。后来稿子上的一行句子又让他想起一件不相干的事，一个旧时的人，遥忆了半天那人少年时的音容笑貌，才集中注意力继续往下看，可下班时间到了。

老实说，李东宝这几日的确是一有空就看林一洲的稿子。偏林一洲忍了一个月，这时忍不住了，一天打八回电话找李编辑，拿贼似的。搞得李东宝很不高兴，一听电话铃响就精神紧张，本来挺喜欢上班的人现在一进办公室便盼着星期天快到。见生人便躲躲闪闪，提防着林一洲来编辑部堵他。

他对大家说："你们都看到了，这是他逼着不让我看完他这稿子，不是我草菅他。"

大家也说："就是，这人太讨厌了。"

李东宝赌气跳过中间五分之二，直接看了眼结尾，便去找陈主编，进门便坐下，拧着眉头说：

"不行啊老陈，这稿子我看了，第一稿好的东西都没了，加了不少乱七八糟的东西，要不得了。"

老陈正在给什么人细声细语打电话，捂住话筒扭着个脸下巴堆起一层褶子皮，低声问："什么稿子？"

"《风车》！"李东宝说，"忘了？"

老陈没言声，李东宝也不多说，他相信老陈的记忆力。

"噢。"老陈只过了几十秒便想了起来，从没忘过似的问，"怎么，改得不如以前了？"

"完全走样了。"李东宝摊开双手，"彻底不入流。我认为是完了，连修改的基础都没了，这种稿子只能退了。"

老陈轻声对话筒里说："等会儿别挂。"双手捧着话筒仰脸呆了片刻，这回是真想起来了，低头说：

"这么糟糕？一稿基础不错嘛，怎么倒越改越差了？"

“要不您再看看，”李东宝把稿子递过来，“没准儿您觉得好呢。”

“算了算了，我就不看了吧——没跟你说。”老陈摆着手对话筒里的人解释了一句，“既然你觉得那么差，不行就退了。”

老陈转身对话筒说：“我晚饭得回家吃，饭后倒可以溜出来。”

“那我可就直接退了。”李东宝站起来。

“慢！”老陈再次转过脸，“不要那么退，本来要用的稿子嘛，退得讲究点。”

“开点退稿费？”

老陈又犹豫：“再商量，原来也没说一定要用他的。”

“您要舍不得钱又讲究，那我只好让他再改一稿了。”

“那就再改一稿。”老陈下了决心，“争取他自己主动撤。”

林一洲奉召再来人间指南编辑部，一进门就看见每个编辑都在用朱笔删批稿子，一部部稿子钩满红墨水，血淋淋的，当场就有点误闯法场的感觉，双腿发软后脖梗冒凉气。

撒腿就跑也不像话。

李东宝皮笑肉不笑地迎上来，指着远远一把椅子：

“坐啊，你倒坐啊。天热吧？”

“热，热。”林一洲擦了擦额头的汗，斜着坐下，拿眼偷着去瞅旁人。

李东宝在他对面坐下，并不说话，只是抽着烟瞧着他。

林一洲笑笑，忽然爽朗了，全臀坐牢，也拿出烟抽，不开口。想法很有道理：你叫我来的，自然该你先张嘴。

李东宝想得也简单：就不先开口！

二人抽了多半支烟，还是林一洲先沉不住气：我是卖方，再充回小吧。

“稿子看了？”

“噢。”李东宝作魂儿归窍状，随之手端下巴半晌不语，仿佛那儿有撮山羊胡子。尔后抬头直视林一洲：

“看了。”

“怎么样……看完后？”

“恐怕还得改。”李东宝很同情的样子。

林一洲嘴上的烟灰齐根儿掉下一截儿。

李东宝活跃起来：“坦率地说，你这稿我看完很不满意。你怎么把第一稿里好的东西全改掉了？你第一稿有些地方催我泪下。我看这稿特意借了条手绢，没想到看了一半倒给我看乐了。”

“你甭说，言情小说能出喜剧效果也不错。”戈玲在一边说。

“问题不是逗乐的，嗯，诙谐了一把，是气乐的。”李东宝严肃地看林一洲，“怎么回事？你改的时候怎么想的我都不明白？”

林一洲倒臊了，倒心虚了，喃喃地：“我是按你教的……”

李东宝打断他：“我是让你增添点世俗的情趣，没让你庸俗啊。这世俗和庸俗可太不一样了，两回事，一个是生死气息一个是……是……你这思路不对，满拧！”

“我……”

“我明白，你是想迎合我，一切都依我的喜好来。”李东宝转向戈玲，“这责任可能在我，说得太多，把他限制死了——听我的呀！我不也跟你说了，你自己的好东西千万别丢，丢了就不是你了。”

“我是……”林一洲忽然产生一个可怕的怀疑，这孙子看我新改那稿没有？谁听你了？我正是由着性儿写的。

没敢再往下想，作真的被说中了状。

戈玲趁火打劫，循循善诱：“每个作家都该有自己的风格，谁学谁也学不来，就像歌星要根据自己嗓子选择唱法一样。”

数这丫头坏！没准儿上次就是她接的电话。林一洲狠毒地想，多早晚卖窑子里去！

刘书友拧过脸来问：“你是不是学张名高了？他的东西可就是庸俗。”

“没有没有。”林一洲负气回答，“老实说我也就是在你们这儿才知道有他这么一号。”

刘书友：“肯定是学他，你别不好意思承认。”

“我知道他学谁。”牛大姐说，“我看了两行就看出来了——博尔赫斯。”

林一洲：“怎么可能？我就看过他一个段子，第一句就看恶心了。”

牛大姐：“别抵赖了，我搞了这么些年编辑工作我还不知道？你书桌上肯定搁着本人家的中文段子集锦，看一行写一行。你这句式我一眼就认出来了，别看我没怎么读过他的书。”

林一洲：“我要学他我是孙子！”

戈玲：“那你学谁呀？”

于德利：“就是，总得学谁，否则怎么写？潜移默化也算。”

戈玲：“平时你最爱看谁的书？”

李东宝：“你最崇拜中外哪个作家包括不著名的？”

林一洲：“平时我就不看书——就怕让人说这个。”

众人笑：“没劲，没劲，不说实话。”

戈玲娇嗔道：“你就崇拜一个人怎么啦？”

牛大姐说得性起，离座端着茶缸子凑过来，李东宝要把自己的座位让给她，她自己不肯，和戈玲挤坐在一起，说一句拉一下林一洲的袖子：

“小伙子，你要吃写作这碗饭，我一定要先告诉你有哪几个人是不能学的。”

“我真没打算要学谁包括能学的。”林一洲恨不能把心窝子掏给这位慈祥的大妈。

“听听怎么啦？又没坏处，三人行必有你师。”戈玲捅他一下，又朝他眨眨眼。

牛大姐全然不顾，似乎迟一步那点经验之谈就要烂在心里。掰着手指头数给林一洲：

“第一不能学老舍，你学得再像人家也当是又发现了老舍遗作没你什么事儿更甭说那学得不怎么地的了。第二不能学沈从文，五十年前吹洞箫那是优雅现而今含管箫那叫仿古。第三不能学鲁迅，为什么不能学我也甭说了……”

戈玲天真地翘着鼻子：“学施耐庵行吗？”

“当然。”牛大姐手指到天上。“蒲松龄，罗贯中这帮都能学。《聊斋》呀，《水浒》呀，《三国演义》什么的，都是民间传说，没什么章法，说谁写的都成。”

“还有一个能学的。”于德利说，“无名氏。”

林一洲退出正聊得热闹的圈子，踅到一边翻看报纸的李东宝跟前，怯生生地扯扯他后襟：

“李编辑，您给我句实话，我这稿子还可改吗？”

李东宝放下报纸也叹气：“没瞧我正为你发愁呢？改是没有不能改的，但照目前这路子改，肯定没戏。”

一直待在一边没说话的刘书友忽然扭头说：“说他那稿子呢？那稿子我看过，不是挺好吗？我一气儿就读完了。”

“那您处理吧这稿子，没准儿是我看太多遍陷进去了。”李东宝忙把林一洲推到刘书友跟前，“这是我们这儿最老最有经验的编辑，看稿子从没打过眼。”

“坐下吧，坐下谈。”刘书友倚老卖老地说，“稿子我看了基础不错，但光我觉得不错还不行，还得读者觉得不错。这稿子要在一般流氓小报发发也凑合了，但在我们刊物发表，恐怕还要下大力气改。”

“李编辑，你别忙走，咱再说说。”林一洲伸直胳膊叫李东宝，活像坐着给他行个纳粹礼。

“其实……”林一洲沉吟半天，决定走步险棋，“我这稿子有两家外地刊物已经决定要了……但我还是想在你们这儿发，如果改动不大……”

“这行啊，也别耽误了你，你赶紧给人家寄去吧，这我们已经很过意不去了。”

李东宝既惋惜又顾全大局地说：“下回有好稿子再给我们。”

林一洲没再多说，立即转身恭恭敬敬面对刘书友：“你说怎么改吧！”

“千万别勉强，”李东宝有点着急，“勉强改也改不好。”

“不勉强，这回我下决心了。”林一洲头也不回。

刘书友拿起林一洲的稿子，看了一眼，放下稿子开口道：

“首先要改的就是名字，名字不好。《风车》？文不对题嘛，也不响亮，不知道你下面要说什么。”

林一洲：“我这是象征……”

刘书友：“不如叫《风筝》，暗寓主人公的命运不由自主，线攥在别人手里。”

林一洲：“行，就叫《风筝》吧。”

刘书友摇头：“《风筝》也不好，别人用得太滥。我再给你想个别的，更好的。”

说完就不吭声了，一口口喝茶跟林一洲要了根烟，点上，叼着在屋里踱步，一时尿意盎然，便径自去上厕所。

半天回来，拍手笑道：“有了，就叫《风》，一个字！”

接着兴致勃勃坐下来，拉着林一洲促膝交谈：

“故事不谈，那都好办，编故事还不容易吗？有幼儿园阿姨的水平就行。先谈立意。立意站住了，整个故事就全有了，围绕主题编吧，张三李四王二麻子——你先告我你写这小说是想说明什么？”

“我是，我是呼唤……”

“呼唤理解对不对？呼唤真诚对不对？那是弱者的呼号，太浅太浅。你应该站得更高些，从人类的角度审视自身。这么着吧，我帮你确立个主题：从人类的终极归宿来看个人的爱情不幸。”

“你再说一遍行吗刘老师？我没听清，我英文底子薄。”

“我说的就是汉语呀。从人类的……”刘书友问李东宝，“这句话我刚才怎么说的？”

“从人类的不同起居方式看个人爱情的终极归宿。”

“从人类的起源看个人爱情不同结果。这就有意义了，这就不能说你光写了个小说，你还对人类本身生存的困境提出疑问。”

刘书友不愧是老编辑，经验丰富，按其主题设想拉出了不下十个路子，都切题，让林一洲任选其一。

林一洲看了十个路子，没言声，憋了半天小声问：

“这不等于另写吗？”

“是另写。”刘书友倒有些怪他似的，“好东西就不怕另写，好多名著都是再三推翻重写的，开始就是灵机一动。”

“可是，”林一洲畏惧地说，“我已经不存那心把这东西变成名著了。”

“你瞧你瞧，一动真的就不行了吧？”刘书友不喜欢林一洲了，“那你何必要我当你责编？随便找哪个人不行？我就是编名著的。依着我，你原来那个故事，一个字不能要，要留也只能留下男女主人公的名字，其他都得另起炉灶。我这是对你负责呀年轻人。”

“可要完全重写，又何必把这东西完全不要了呢？另起几个名字哪怕重写十个长篇呢？”

“你要这么说，咱们就没法再往下谈了。小李，你的作者还是你来吧。”

刘书友十分不高兴地缩回自己的座位，扭着脸气呼呼地不理人了。

牛大姐那边聊够了，端着茶缸子回来，见这边几位都耷拉着脸，也没闹清是怎么回事？便说：

“卡哪儿了？别愁，憋一会儿准能憋出来。”

又夸林一洲。

“其实我挺喜欢你那立意的，只是要再加个反封建的内容，那内涵外延所指能指就更没边了，就更有的看了，九十年代《啼笑姻缘》。”

老太太忽然兴奋起来。

“我给你讲一故事怎么样？是一真事，就是我们那条胡同出的事。我们这院有一王大爷，这王大爷养仨闺女……”

于德利：“得，得，又是王大爷闺女吞金子的事儿，听你讲多少遍了，跟这稿子挨不上。”

“你听过，人小林没听过。”牛大姐白于德利一眼，“这不是憋这儿了吗？讲俩故事开拓一下思路也好。我讲完大家再补充补充，故事可不就是这么编出来的你以为呢？”

“说吧说吧。”林一洲说，“我现在听什么都新鲜。”

“这王大爷仨闺女，一妈生的。”牛大姐声情并茂，不时辅以手势，“偏这老二长得宫女似的，那俩丫头没法看。这老二啊，平时不吭不哈的，瞅着别提多文静了，一个初中生看着跟研究生似的……”

李东宝：“抱歉，我得去趟茅房。”

林一洲：“你们这儿茅房在哪儿？”

牛大姐按住林一洲：“你别走，听我跟你说完。这老二甭提多老实了，谁也没见她跟哪个男的近乎过，她姐倒不时失恋一下。街坊四邻都夸这老二规矩，偏这奇事就出在这规矩孩子身上。去年‘五一’……”

“六一！”于德利打断她，“您说完又岔了。”

牛大姐：“对对‘六一’，我记错了。去年‘六一’，大节下的，这孩子忽然寻短见了。吃晚饭的时候……”

于德利：“午饭！”

牛大姐：“对，吃午饭的时候，大家都围桌子坐好了，筷子也举起来了，半空林立着，独她在自个儿屋里没出来。她妈就叫她妹站在门外喊她，左喊不出来，右喊不出来。她妈急了，一掀帘子进去了，跟着又跳着脚蹦了出来，您猜怎么着？”

林一洲：“死床上了？”

于德利：“死床下了。”

牛大姐：“哎，我说你这人怎么老插嘴？你讲我讲？”

“你讲你讲。”于德利到一边坐着挠痒痒去了。

李东宝解完手回来，在戈玲身边坐下，小声问：

“到解剖了吗？”

“刚发现尸体。”戈玲也小声回答。

牛大姐："一个大姑娘死在一家人眼皮儿底下，都没看见是怎么死的。做饭的时候还好好的，帮着她妈剥了两头蒜，神态从容。"

林一洲："视死如归也是有的。"

牛大姐弯腰拍手笑叫："更奇的还在后面。怎么报警的，警察是怎么来的，来了之后干了什么这些过程我都省略不说了。单说这姑娘的尸体抬到公安局，法医剖开肚子这么一瞧，您猜瞧见谁了？"

林一洲："瞧见金子了。"

牛大姐埋怨于德利："都是你刚才露了底。"又诡秘地望着林一洲，"还有呢？"

"还有？"林一洲倒真给问蒙了。

牛大姐："使劲猜！猜不着了吧？谅你也猜不着。"

戈玲："你第一次讲这故事，我就全猜着了。"

牛大姐："那是你蒙的，不算本事——还有个孩子，男孩，五个月！"

说完昂首去拿了自己茶缸子咕嘟嘟喝水，眼睛瞅着林一洲。

林一洲活活上了钩，急切地问："谁的？"

牛大姐灌足了水，歇了口气坐到一边，得意地望着他，半晌才说：

"不知道！"

"我告诉你吧。"于德利说，"到现在没破案，孩子是谁的金子又是谁的没一个人清楚。"

林一洲十分失望，"这算什么故事？没头没尾的。"

牛大姐："续呀，没尾咱们续呀，那句话怎么说的？续貂。"

于德利："你当那话是夸你呢？"

牛大姐不理于德利，"孩子可能是你的，也可能是李东宝的，可能性无限大，多利于展开想象？”

林一洲转向李东宝：“你甭说，这故事我听着还真有意思——您说呢刘老师？”

刘书友傲然倨座，不置一词，眼睛看到天上。

“你觉得好，这故事我卖你了，一分钱不收。”牛大姐说。

“吃饭喽吃饭喽，别瞎扯了。”于德利站起来嚷。

“您觉得怎么样李编辑，如果我照这路子改会不会好看？”

“你觉得好你就照这路子改吧。”李东宝拿出碗筷说。扭脸问戈玲，“你知道哪儿有卖黑色有机玻璃扣子的？我妈的雪花呢大衣上掉了一颗。”

“得是那意想不到的人的。”牛大姐叮咛林一洲，“千万别让读者先猜到。”

“那我可就这么改了。”林一洲追着往外走的李东宝说。

“哪儿都有卖的。”戈玲回答李东宝。

“大宅门里的公子哥儿？不成，跟小白菜重了。被三个歹徒拦路强奸？不好，压根儿不认识也不好找，必须是熟人圈儿里的。”

林一洲在自己家里念念叨叨地走着磨房道，不由感叹：

“这回算认识到公安工作的不容易了。这回知道坏人难抓了。”

老婆在一旁克服了半天好奇心，忍不住问：“怎么又搞起侦探小说了？路子变得够快的。”

“嗯？”林一洲冒出了一个怪念头，走回桌旁在纸上记下来，免得忘了。对老婆说，“什么都得尝试一下。”

“那篇稿子通过了？”老婆问。

“老师？父辈？这些都最不受怀疑的人，同时又是最有可能犯案的人——符合凶手的标准。”林一洲回头茫然地看妻子，蓦地反应过来，“糟啦，我把稿子忘编辑部了。”

“手稿一定要拿回来。”老婆严肃地说，“将来很珍贵的。”

林一洲一下释然了：“反正也是重写。”

夜里，林一洲在梦里豁然开朗，凶手、良民栩栩如生，整个案情历历在目,连凶手伪善的微笑都一清二白。当场就急着醒过来，可被魇住了，怎么都不能脱离梦境，结果被凶手发现了，一步步逼上来，眼露凶光，必欲置之死地而后快。林一洲在梦里急得都快哭了，非常后悔自己怎么搅进这么危险的事中，老老实实当老百姓多好。牛大姐、李东宝等人也在梦中出现了，并不帮他，只站在一旁看他笑话还窃窃私语似乎还很怀疑他和凶手是一事的。

林一洲被凶手追得东躲西藏，所有自家的隐蔽角落：床底、衣柜，都藏进去过，偏偏凶手机警，一回头就看见他，只好再跑。

后来被凶手逼到空荡荡的人间指南编辑部屋里。林一洲表现得很没骨气，再三跟凶手解释：“不是我揭发的你，我不知道是你干的。”见凶手不信，又痛哭流涕地发誓：“我保证不往外说，你这回就饶了我吧。”并求死去的女孩儿说情：“你跟他熟，你帮我说说。”最后连牛大姐、李东宝都供了出来：“是他们派我来的。”

然后醒了……

窗外已青天白日，十分亮堂。林一洲坐在床上庆幸自己脱险，再回忆细节，梦境已然依稀，怎么也不能有机地联系在一起，印象最深的是自己东躲西藏的狼狈相。

洗了脸去上班，坐在办公室里胡思乱想。处长来和大家打哈哈，他瞅着处长慈祥学者的脸觉得凶手就该长成这样儿。

后来想起一直忽略的一个重要事实：二丫头是自杀的，没有凶手。不免沮丧。

作家，哪怕是个不成熟的作家，能人之所不能，就是善把种种荒诞不经的念头关系理顺，最终写真实了，好像这就是生活。

难怪很多人像书中那样生活要走弯路呢。

林一洲硬着头皮写，写了上一个字再想下一个字，竟被他自圆其说了。

时光荏苒，林一洲按新思维写完这部小说，季节已近秋收。忙碌了一年的人们开始准备过冬。

林一洲再到人间指南编辑部，编辑部的男女已都是一身秋装，竟没一个人记得他。他朝落满薄灰仍不失透明的玻璃窗瞥了一眼，连自个儿都不认识自个儿了，感到了岁月的流逝。

看到稿子，有几个人想起了往事，恍惚唤起了些许印象。

这次是戈玲接待的他，严肃地告诉他：本刊不发通俗作品。整顿后的《人间指南》将是一本面向广大青年、海外游子的格调高雅、趣味多样的知识性刊物。

他找牛大姐，牛大姐到泰山去了。

再问李东宝，已在南海之滨数月未归。

于是林一洲站在那儿哭了，并不声明，也不央告，只是哀哀地流泪。

戈玲被哭难受了，又无权丧失原则，便到食堂打了份肉菜包子，请他吃了再哭。自己当场坐下看林一洲的稿子。

戈玲看完稿子，问他还有没有别的作品，这一举动本身给了林一洲一些安慰，他吃完包子便静静地坐在一边。对养花钓鱼感不感兴趣？闲来无事打不打网球？围棋会否？可曾泼墨练过书法？

所问皆无下文，自己也觉无趣。讪讪地劝林一洲写些抒情哲理诗，讲些海阔天空，鱼跃鸟飞，看云卷云舒的闲庭道理。

林一洲一日无语，自己也乏了，想起要买大白菜，匆匆走了。

林一洲倏忽消逝，倒给戈玲留下些寂寞和惆怅。

那日下午，办公室其他人无事都提前下班了，只留下戈玲一个人独坐，也没个说话的。

姑娘怀了会儿春，悲了阵秋，便在桌上拣了些旧稿拿在手里看。不知不觉竟被一个叫林一洲的作者写的一部风月小说《风车》吸引住了。可能跟那天下午的季节、氛围和姑娘当时的心境有关，加上小说写得很有些旧鸳鸯蝴蝶派的笔致，惹起姑娘的一段缠绵心事，陪着掉了几滴泪，看完还遐想了半天作者是何等的俊秀才子，对女子柔肠的体察又是何等的细腻入微哦。

立刻按稿底留的电话号码给作者打电话，接电话的人说今天林一洲小孩病了，没来上班。

第二天便去缠着陈主编要在“情海系舟”栏目中连载这篇小说。话说得很锋利：

“老陈，要是这样的小说你都不敢发，那以后我们也不要再登小说了。”

老陈看完小说也觉得好，有闲情逸致而无挑衅之词，这样的作品现在难得了。

同意发，只有一个担心或说疑问：

“这小说我好像在哪本刊物上读过，不要是抄袭吧。”

于是此事就搁下了。

第二年春天，戈玲想起此事，摘了些写景的自然段，稍加连缀，作散文发在了另一本销路甚大的青年修养刊物上。

稿费悉数寄给了林一洲。

（原载《小说家》1991 年第 4 期）

懵然无知

一

一望可知，这是那种托了熟人走了关系愣充门面的招待会。专供国宾出入的富丽堂皇的大厅挤满文质彬彬面带菜色的男女知识分子。很多人的行头不齐，譬如西服虽很笔挺但领带却又艳又俗；女士穿了贵重的长裙脖子上的项链却是假珠子。

他们徜徉在一溜长桌之间，端着很精致的餐盘耐心地选择能填饱肚子味道又不太差的菜肴，令人同情的是，他们选择的余地不大。

大厅上方挂着一条大红横幅，上面用别针缀着一行字：《大众生活》杂志创刊三十五周年纪念酒会。

人人都在交谈、低笑、相互引荐，大厅像个巨大的蜂巢嗡嗡作响。

李东宝和戈玲胸前佩戴写有“嘉宾”字样的绸条混迹其中，边吃边喝四下张望。

一个仪表堂堂的中年男子，手端酒杯，站在人群中不动声色地打量来往走动的人。

远处响起几声零星的掌声，一个老先生走上虚设已久的讲台，站在麦克风前，咳嗽了几声。

人们参差扭脸看他一眼，继续围成一个个小圈子交谈。

老先生摸出眼镜戴上，旁若无人慢条斯理地用微弱的声音念稿：

“各位领导、各位同仁、各位朋友、各位同志、女士们、先生们……”

“他说什么？”李东宝问戈玲。

“我也听不清。”

“以及到场和正在进场的所有有关人员和家属，你们……”老先生翻了一页稿，拉长声音继续念：“——好！今天，能请到各位领导、各位同仁、各位朋友、各位同志……”

“嘿，嘿，你瞧，那是文能。”李东宝一脸兴奋。

“哪儿呢哪儿呢？”戈玲四外转头，找不着目标。“那不嘛，大背头穿中式对襟棉袄，旁边还带一‘洒蜜’[①]。”李东宝指给戈玲看。

“那是谁？跟他一起走满脸坏笑侃侃而谈的？”戈玲伸着脖子问。

“刘震云啊，这你都不认识。”

“啧啧，这名人全来了。《大众生活》真有两下子。”

中年男子走到他们身旁，叉起一片冷火腿肉放入嘴里。

李东宝感叹：“什么时候咱们《人间指南》也能到三十五周年啊。咱们也开这么一个酒会，把各路名人请来撮一顿，一通祝贺，大报小报发消息，多风光！”

---

①京俚：漂亮小姐。

“也快，”戈玲认真地说，“三十五年也就是弹指一挥间。”

“不过，再怎么咱也不能跟人家《大众生活》比，人家影响多大呀，发行好几百万。到咱们周年，凭咱们这点影响，请人家没准儿——还不来呢，不赏咱这脸。”

“就是，到时候让不让咱庆贺都不一定——不够级别。”

中年男子乜眼瞧了一下身边这一男一女，把嘴里嚼烂的火腿一口咽下。

这时，门口响起一片掌声，正在吃喝的人们纷纷掉脸去看。

一个拄着拐棍，行动迟缓，一脸褐斑的老人在一群年轻男女的簇拥下步入大厅，老人脸上毫无表情。

“谁呀谁呀？这是谁呀？”李东宝着急地问身边素不相识的女人。

那女子望着老人发呆：“等等，等等，这名字都到嘴边了就是说不出来。”

中年男子看看四周杂乱的人流，整整领带晃晃头，浮起一脸训练有素的微笑，转脸面对李东宝，殷勤相问：

“二位是人间指南编辑部的吧？怎么样？还满意吗？”

李东宝一怔，马上笑道：“满意，满意。”

“我叫何必，是大众生活编辑部主任。”中年男子说着从上衣口袋掏出一张名片递过去，“这是我的名片，很高兴认识你们。”

李东宝右手与中年男子握手，左手接过名片，歪头看，笑道：“谢谢，对不起，我的名片忘带了。我叫李东宝，这是我的同事戈玲。”

“你好。”何必矜持地与戈玲握手。

“你的名片也忘带了吧？”李东宝问戈玲。

“当然，真抱歉。”戈玲笑说。

“没关系，我们已经认识了，可以到那边坐坐吗？”何必往墙边的一排沙发一摊掌。

“好的。”李东宝放下餐盘。

“可以拿过去嘛，”何必笑说，“边吃边谈。”

三人依次在沙发上坐下，何必笑道：

“我妻子和女儿是贵刊的忠实读者。有时我也翻翻，很有意思。”

“哪里哪里，”李东宝极表谦逊，“要论良师益友，贵刊才是首屈一指。”

戈玲也一本正经地对何必说：“我爱人和孩子也常看你们刊物，睡前必读，堪称忠实读者。”

“过奖，过奖。”

“真的。”李东宝道，“我爸爸都不识字，也逢人必夸《大众生活》，健康有趣。”

“彼此彼此。”

“客气客气。”

何必皱起眉头：“客套话少说吧，咱们还是谈正事要紧。”

“对对，咱们文艺界自己再互相吹捧就不好了。”李东宝诚恳地望着何必，“谈正事谈正事。”

戈玲不解地问东宝：“什么正事啊？”

李东宝转问何必：“什么正事啊？”

“哦，是这样的。”何必递给李东宝一支烟，自己点燃一支，若有所思地说，“再过两个月，就到‘六一’儿童节了。”

“两个月零三天。”李东宝冲何必嫣然一笑。

何必看他一眼，掸掸烟灰继续说：“孩子嘛，是祖国的花朵，民族的希望。一年就那么一个节，咱们当大人的平时不管可以，到节了总得想着为孩子们办点事，你说对吧？”

“嗯嗯，你说。”李东宝一拳托腮，全神贯注盯着何必。

“孩子们盼了一冬一春了，总得给他们献份厚礼不负期望。可你说现在孩子缺什么？都那么幸福，给吃的？玩的？”

“这个没什么必要。”李东宝认真想了想，点着烟说，“他们都有自个儿家长，轮不着咱们插一杠子。”

“咱们文化人能给小朋友的，也就是一片爱心。”戈玲说，“我们早安排了，准备组一批各式寄语小朋友的稿。”

“轻了。”何必注视着戈玲，缓缓吐出一口烟，全吹在戈玲脸上。

戈玲霍地后缩，挥手赶烟。

“除此之外，还设专栏介绍各大商场玩具柜台的新品种。”李东宝足足吸了一大口烟，全喷到何先生脸上，询问，“感觉如何？”

何必连连咳着道：“还是轻、薄，不足以表达咱们的爱心无限。”

李东宝说：“到那天我们还准备给大人放假，让他们回去和自己家的小朋友联欢。年轻的、家里没小朋友的，统统到孤儿院讲故事……”

何必使劲摇头，眼镜差点晃下来：“不行！这都不够！多数小朋友还是感受不到咱们的温暖。”

“那你说怎么办？你儿童节打算干吗？”戈玲有些不耐烦，“这也轻了，那也不行，你倒是把行的说出来让我们听听！”

“办晚会！”何必憋宝似的憋出这三个字，一脸得意，“我告你们，我们大众生活编辑部准备在‘六一’那天为全市小朋友搞一台晚会，晚会的主题就是‘快成长’或‘我和祖国一齐长’，最后名称用哪个还没定，反正就是这意思。”

“不矛盾，用哪个您那意思都清楚。”李东宝点头称是，“好想法，我支持。”

何必眉飞色舞，比手画脚：“整个晚会都用小演员，儿童演儿童看，台上台下天真烂漫，百花争艳。广告宣传、电视转播，再请五到十位退休的国家领导人，搞他个普天同庆，老少咸宜。”

“太好了，这么着才像个过节的样子。”李东宝被何必的描绘深深吸引。

戈玲也很兴奋：“小朋友到时候不定高兴成什么样呢。”

“好不好？”何必问二人。

“好！”二人同声回答。

“愿不愿意一起干？”

“什么？”李东宝没听清。

“我们准备，我们希望贵刊和我们共同主办这一盛会。”何必终于亮出了本意。

他目光炯炯地盯着李东宝和戈玲。

须臾，戈玲开腔：“好是好，可是……”

李东宝接上来说：“这我们当然很高兴、很荣幸。可是……你知道，外面传我们赚了多少钱，其实没那回事，上一期我们就赔了……”

“等一等。”何必拍了拍李东宝膝盖，站起来。

刚念完稿的老先生从台上下来，走过这里，疲惫而孤独。

何必迎上去，恭敬地打招呼：“胡老，我们正在谈着呢。”

胡老愣了一下，看了看他：“啊？哦，你们谈你们谈。”说完走开。

何必又庄重地坐回沙发，问李东宝：“你刚才说什么？”

“我们说，说……”

“说我们没这笔钱。”戈玲干脆打断他。

“啊哈，你们太见外了。”何必呵呵笑起来，随之豪爽地一挥手，“不要你们掏钱，一个子儿都不用！只要你们同意以你们的名义共同主办这台晚会。”

“什么意思，我没听明白，”李东宝忙问，“费用你们全包了？”

“还是年轻啊你们。”何必一副前辈的语气，笑问，“你什么时候听说过文化人自个儿掏腰包办文化上的事？都是掏别人的口袋，有的是乐于附庸风雅的人。实话告诉你，晚会的赞助我们已经全落实了，现在只要你们一句话，愿意不愿意参加进来。”

“你说呢？”东宝看戈玲。

何必看出他们犹豫，又说：“还有其他好处，目前拉到的赞助已经超过了预算，用不了。就是说，热热闹闹办完了事，大家还能分点。”

“这倒不错啊，”李东宝先动了心，“不出钱不费力，又扬名又风光最后还能有进项。”

“可这事也太好了，好得都悬了。”戈玲道，“这年头有这种好事吗？我可是头一回碰见。”

“对生活失去信心了吧？不相信这世界上还有善良了吧？”何必道，“也难怪，这几年资产阶级自由化把人的思想都搞乱了，什么理想、信仰、高尚的情操都没人信了。我不怪你们，年轻人嘛，容易摇摆。这么着吧，你们回去好好想想，前后左右都想到了，要是觉得有问题就算了。要是觉得可以干，就按名片上的号码给我打个电话。我给你们几天考虑，好好想想，你们会损失什么。”

何必起身和二人道别：“那边还有些人需要我去招呼，失陪了。”

他满面春风地走到大厅门口，与每一个准备离去的客人握手告别，亲切致谢，俨然一个热情周到的主人。

二

“我想不出我们会损失什么。不用咱们出一分钱，干的又不是什么缺德事，他们能怎么坑咱们？”

次日上午，李东宝在编辑部里大声对同事们说。

于德利第一个表示支持：“我看可以干，只要咱们咬住牙一分钱不拿，那就谁也不怕，什么套儿也套不到咱们脑袋瓜儿上。”

戈玲从桌上抬起头：“我就是不明白，这么好的事，他们干吗非拉上咱们？没咱们他们不也一样干？光听说牵着别人一起患难的，没听说央告着旁人一同享福的。”

“还不是看上了咱们这块牌子？”李东宝说，“这说明咱们在群众中还是有一定影响和号召力的。”

“就是。”于德利赞同，“连《大众生活》这样的大刊物都希望和咱们一起办活动，正好咱也借借它的光。”

“东宝，”牛大姐示意他过来，小声问他：“你说的这个人真是《大众生活》的？现在骗子可多。”

“这个没问题，”戈玲道，“我们看了他的名片，再说我们谈时胡老也在场。”

刘书友凑过来：“他们不会拉来钱跑了？活动也不办了，一屁股账都推到我们身上。”

于德利十分不屑：“我说老刘，你怎么把人都想得那么坏？”

李东宝说：“他们能跑哪儿去？不会的不会的，都是有组织的人。”

“我看，还是等老陈回来再决定吧。”刘书友道，“不是我把谁都往坏处想，而是现实要求我们多个心眼儿。如果领导同意了，将来即使发生了问题，责任也清楚。”

牛大姐沉思地点点头。

李东宝道：“能发生什么问题我就不懂！前面都讲了，咱们什么也不用出，既然没付出，又何来损失？”

牛大姐也觉得有理。

戈玲插话：“老陈还要两星期才能办完他妈的丧事回来，等他回来，只怕就来不及了。”

于德利道：“我可知道中国的事为什么难办了，都怕负责。明摆着的好事不敢决定，都怕担风险。这么着吧，这事我负责，出了娄子我顶着。牛大姐，把编辑部的章给我，这几天我代理老陈的主编职务。”

他说着就过来拉牛大姐的桌子抽屉找章。

“别闹，别闹。”牛大姐一边用身体护住抽屉，拨拉于德利的手，同时对李东宝说，“我看这事这么办，东宝，你叫他们来当面谈谈，如果真像你说的那样，可以答应他们合办这台晚会，毕竟也是好事嘛。”

“让他们一定要把钱汇入咱们账号，由咱们管理开支。”刘书友提醒。

“你瞧你瞧，这会儿又惦记着占人家便宜了。”于德利指着他说。

李东宝到一边去拨电话，看着何必的名片开口道：

“《大众生活》吗？请找下何必同志，我是人间指南编辑部，我姓李……老何吗？我是《人间指南》小李，你好你好……嗯，我们领导基本同意了，希望您能来谈一下，我们领导还想了解一些情况……”

牛大姐在一旁插话：“慢，东宝，我想我们还是去他那儿谈，亲自去看看，问他行不行？”

“喂，老何，我们头儿刚才说了，希望能去您那儿谈，您看……没问题？太好了。你看什么时候去好……下午？”

李东宝回头看牛大姐，牛大姐点点头认可。

“好，那就下午。可以……不不，别麻烦你们了，我们自己去……一定要接？那好那好，下午两点，我们等着……再见，下午见。”

李东宝放下电话，对牛大姐说：“下午两点，他们来个面包。”

“正好，咱们都去看看。”牛大姐说。

三

除了于德利临时有事去不了，编辑部这几个人都上了那辆乳白色的面包车。

汽车飞快地向城西开去，经过一幢挂着大众生活杂志社牌子的楼门口，李东宝指着那块牌子喊：

“过了过了。”

“不到编辑部去。”何必笑说，“我们去招待所，让你们见见晚会剧组的人。”

汽车在一个部队招待所的楼前停下，一干人下了车，在何必的引导下进了楼。

刚上二楼楼梯，迎面就看见一幅大招牌：“六一”晚会筹备组大众生活杂志社主办。一个粗大、醒目的红箭头直指里边的一排房间。

走廊里不时有浓妆艳抹的女郎走过，都笑着与何必打招呼。

“这些人都是晚会剧组的？”李东宝问。

“是，演员已经集中了，投入排练，否则就来不及了。”何必回答。

戈玲看一个烫着发、年龄不过十一二岁的女孩骄矜地走过，不禁问：“这些孩子这么小，她们不上课了？”

“哦，这些小演员都是三好学生，将来直接保送上大学。”何必笑眯眯地推开一扇房门，躬身道，“请。”

大家鱼贯进了房间。

一个穿美国兵毛外套、戴贝雷帽，满脸深沉叼着根黑雪茄的大胡子男子站起来，严肃地望着他们。

“这就是我们晚会的导演，江湖，江导！”何必为双方介绍，“这几位是《人间指南》的同志。”

江导声音洪亮，带着胸腔共鸣：“你们好，坐吧。”自己先坐下了。

大家分头坐在两张床上，或倚或靠。

“江导，您这名字听着很熟嘛。”李东宝说。

“江导是我国著名导演，导过很多好片子。”何必说。

“是吗？都导过什么呀？”戈玲感兴趣地问。

何必替江导回答：“大型歌舞史诗《东方红》，老《南征北战》……”

“啊，这些都是您导的？”戈玲吃了一惊，十分敬仰地看江导，“太荣幸了。”

“不值一提，”江导谦虚地说，“那都是过去的事了。”

“您可别这么说，”戈玲道，“我小时候最爱看您的东西了，起码看了不下一百遍。”

“我也是。”李东宝说，“那些年就没看别的。距今已然二十年了吧？”他问戈玲。

戈玲尊敬地问江导：“您今年高寿？”

江导避开戈玲的注视：“还行吧，身子骨还硬朗。那会儿我也年轻，拍不好，瞎拍。”

李东宝不同意 ：“您可真不是瞎拍，您那批片子可真是教育了一代人。”

“我说咱别老提我当年干的事儿了。”江导一本正经地说，“我这人不爱听恭维话。特别是过去的事，那只能说明我过去，我还有现在呢，我还有将来呢。”

“好好，说现在的说现在的。”李东宝道，“您怎么着，也关心起孩子来了？”

“是啊，全社会都在关心下一代，我也得跟上形势，有多大劲使多大劲吧。”江导说。

“对对，要说孩子也怪可怜的，打小铃铛之后只认识变形金刚了。”戈玲说。

“可不，不能让儿童就认外国玩具。咱不关心行吗？‘六一’节怎么也得让孩子们乐乐。”江导道。

何必插话：“江导为了孩子可没少费脑子，那真是，变着法儿，什么点子都想到了，机关算尽。”

他走到一边掀起一个黑布罩：“你们看。”

大家围上去看，桌子上搁着一个用木板、木棍、荧光纸和小手电绑粘的舞台模型。

牛大姐先称赞：“真不赖，这是哪个小孩跟这儿玩过家家搭的？”

“没错，江导为搭这个……干吗过家家呀？”何必解释，“这是江导精心搭的晚会模型。怎么样，巧夺天工吧？江导，你给他们说说你的设想，这些人别看说起来也是文化人，其实还真没见过什么。”

“江导，说说，让我们也长长见识。”李东宝道。

“对，让我们先高兴高兴，”戈玲道，“其实我们也跟孩子似的。”

刘书友说：“别看岁数不小，也有一颗童心。”

江导笑了笑，走到模型前，拿起一根小棍指着讲解给大家听：“这儿，好比是那体育馆，这是那台子，灯光全打在台子上，演员都埋伏在台子四周，前后左右一个角一组，作雕塑状，剪影，剪影懂吗？”

李东宝：“知道知道，就是大概齐，四周有个边儿。”

戈玲：“影影绰绰。”

“对，是这意思。让他们影绰着，我这儿灯打给谁，谁就给我活起来，唱啊，跳啊都看他。唱完，灯灭，你再给我剪影着。”

“噢——”众人齐叹。

“再一开灯，打着谁谁唱，依次下去倒车回来中间花插着主持人的抒情解说词。”

江导停住了看大家：“追求个什么效果呢？神话般的，着了魔似的……”

“鬼鬼祟祟的。”李东宝聪明地为江导做注脚，“小孩就喜欢恐怖，越害怕越爱看。”

“不会吓着孩子吧？”牛大姐有些担心。

李东宝说：“不会。我小时候就爱看这式的。您想啊，全场都是黑的，就台上那一点亮，多刺激！什么小动作都瞧不见——江导，你真抓住孩子心理了。”

“太棒了，真有想法。”戈玲着迷地说，“到时候给我也弄张票，让我也受受惊，好久都不知道什么叫害怕了。”

“那没问题，票有。”江导继续说，“我准备把孩子们熟悉的妖魔鬼怪全派去。猪八戒藏台阶下，大灰狼蹲左边拐角，搞他二十几个小狐狸一边看台撒一窝，再派几个黑猫警长，瞧吧，那天准热闹。”

“肯定！要是没有几个尿裤子的算我白说。”李东宝歪头一拱手，“江导，我先代孩子们谢谢你了。你能想到从小培养孩子的胆量，有胆识啊！”

“别忙谢，我是无功不受禄。那天真能达到目的，再谢不迟！”

刘书友煞有介事地指着模型道：“这块空地儿留着干吗，这么大一片，不利用可惜了。”

“噢，”江导瞧了一眼道，“这儿我准备弄个喷泉，激光音乐喷泉，安七八十个小喷子，配上松井进村的音乐，哗哗冲天喷。前排的小朋友都让他们带个伞，雨中看演出，多有诗意——简直他妈的绝了！”

江导扔了棍，走回原位坐下，大剌剌地抽烟。

大家意犹未尽地散开，各回原位，互相交换着兴奋的眼神儿。

“怎么样，大家觉得这一夜还行吧？”

“太行了！”李东宝说，“凡是敢去的，终身难忘。”

戈玲道：“还真是，妖魔鬼怪天灾人祸都齐了。”

刘书友感叹：“都说年轻人有想法，这中年以上的，真要开动脑筋也不含糊。”

“姜还得说是老的辣。”牛大姐问何必，“你们这台晚会歌曲的曲目都定了没有？”

“这您放心。”江导说，“全部健康有益。大灰狼小狐狸都不许开口，开口就是阿童木一休和唐老鸭唐先生。”

“还有一些小英雄。”何必补充，“卖报的，划船的，听妈妈讲故事的以及放牛的王二小。”

“这点我们比你们还慎重。”江导说，“孩子嘛，就是一团泥巴，成什么样儿都得看咱们怎么捏。”

“对了，还有，”何必问牛大姐，“您是负责人？”

“对对，她是我们负责的，牛大姐。”李东宝说。

何必起身鞠了一躬：“牛大姐，您还得准备一个两分钟的发言，晚会开始前跟小朋友托付托付。”

“哟，我可不会说话，当着那么些人，我说什么呀？”牛大姐连连摆手。

“您是大姐您不会跟小朋友说话？”何必道，“祝小朋友好啊，长大了作贡献啊，这还能没词儿？”

牛大姐笑道：“真是没词儿，还得回去准备。”

“是得准备准备，别说冒喽。”江导说，“我这次晚会都电子计算机掐点儿，到点不管完没完就掐。记住，电台播音员的播音速度是一分钟一百八十字。您就想好三百六十个该说的字，一个字也别多说。”

戈玲笑道：“全看你的了，牛大姐。”

牛大姐迫不及待地起身：“不早了，我看咱们是不是该回去了，江导他们忙，让他们忙吧。”

“吃完饭再走。”何必连忙挽留。

“饭就不吃了吧，太麻烦了。”牛大姐问大家，“还吃吗？”

“不麻烦。”江导说，“反正我们也要吃，添几双筷子罢了。”

“那就吃？”李东宝说，“既然咱们也是主办单位，吃也等于是吃自己的。”

“对了，老何。”牛大姐想起什么，“你看我们两家是不是要签一个协议书之类的东西？”

何必道：“不必那么烦琐，我们双方负责人都在，都点了头，以后晚会的筹备活动都以我们双方的名义进行就是了。”

刘书友：“你们外边那块招牌我认为应该写上晚会由《人间指南》共同主办。”

何必：“给你们留着地方呢，我这就叫人写上。仿宋还是狂草？”

“就狂草吧，狂草遒劲！”牛大姐说。

“怎么样？把你们放前头了。”何必咬着牙签剔着牙说。

一群人酒足饭饱，一人叼着根牙签围在二楼楼梯口看添了《人间指南》新字样的招牌。

牛大姐满意地说：“不错不错。”

一群人反身下楼，何必跟着牛大姐道：“牛老师。回头有些合同、通知什么的你们还得给盖个章。”

牛大姐头也不回地说，“可以可以，回头你或者派人把需要盖章的合同什么的拿到编辑部去，我给你盖就是了。”

“别忙走，”何必站住叫一个剧组的小伙子：“你搬几箱汽水可乐什么的给他们带走。”

“不用了，您太客气了。”牛大姐笑道。

四

牛大姐专心致志地趴在桌上又写又画，嘴里还念念有词。

牛大姐：“哎，我的发言稿拟出一半了，念给你们听听。看看效果如何。”

她清嗓子。

“等等！”刘书友起身从墙角的两箱“可乐”中拿出几瓶递给牛大姐：“润润嗓子。”又给了李东宝、戈玲一人一瓶：“都喝。”

牛大姐把“可乐”放到一边，认真地念：“亲爱的小朋友们……”

“七个字。”李东宝用牙咬开瓶盖。

“亲爱的小朋友们，首先让我代表人间指南编辑部的全体同志，祝大家节日快乐。”

“三十一个字。”戈玲喝了口“可乐”道。

“孩子们，你们是祖国的花朵，是我们的未来，共产主义的重任将要落在你们这一代肩上。今天，你们是小草，明天你们就是栋梁。你们要想想，多想想今天的幸福生活来之不易，那是多少革命先烈抛头颅洒热血换来的。今天，你们坐在这里享受着祖国的雨露滋润，幸福地过节。可世界上还有三分之二的小朋友过不上节，挨打受饿，流血流泪，你们任重而道远啊！多少人眼巴巴地看着你们呢啊……多少字？”

“整一百八十字。”李东宝说，“加上语气助词。”

“往下就没词了。”牛大姐放下稿子，“一拐就拐回‘任重道远’上，思路打不开。”

“我有词，”戈玲对牛大姐说，“我说你记下来。后一分钟可以光祝福小朋友们，祝大家身体好！学习好！功课好！劳动好！团结好……”

“大人好！老师好！全家好！谁都好——这也混不过一分钟啊。”李东宝说。

“真是的。”戈玲道，“平时那么多词儿都哪儿去了？说正经的全不行了，一分钟难倒英雄汉。”

“其实很简单，”刘书友喝光了一瓶“可乐”，看看空瓶底儿说，“播音速度可以适当放慢，按讣告那个速度，再加点哼呀哈哟的，两分钟没问题。”

“你别说，老刘说的还真不失为一条妙计。”戈玲笑道。

于德利油头粉面地走进来，气宇轩昂：“说什么呢，这热闹？”

戈玲道：“帮牛大姐攒演说词儿呢，人家要上万人大会上讲话了。”

“和《大众生活》那事，成了。”李东宝说，“演员和导演全见着了，班子还真强，想法也有。”

“招待所里的晚会招牌上的箭头这么粗。”刘书友比画着碗口大小。

“不是一帮骗子吧？”于德利笑问老刘。

“不是。”刘书友摇头，“这回弄清楚了，都是文艺界战友。”

“牛老师，牛老师在吗？”一个剧组的姑娘笑吟吟、客客气气地进来，手拎一个大皮包。

“来，来，小王，坐，喝点水。”牛大姐热情起身，递过桌上打开没喝的“可乐”。

“谢谢，不喝了。”王姑娘打开皮包，取出一沓合同纸，“牛老师，我又找您盖章来了。”

牛大姐忙不迭地拉开抽屉，拿出编辑部大印，用嘴哈哈气，高高举起：“盖哪儿？”

王姑娘一指合同纸下角，“这儿，你们编辑部名下。”

王姑娘快速地翻着一张张合同，牛大姐不歇气地连续盖了十几个章。

“谢谢，我就不多打搅了。”王姑娘收起合同，起身欲走，“你们忙吧。”

于德利喝着“可乐”走过来：“给我一张看看，咱也见识见识咱们的合同书。”

说着，他从王姑娘手里要过一张，笑眯眯地看。

看了几行，他脸上的笑容消逝了，眉头也皱起来，冲大家挥挥手中的合同：

“这合同你们看过没有？”

李东宝凑上来：“没有。怎么啦？上头写什么了？”

于德利念合同：“届时将请五到十位党和国家领导人到会接见，留影……凡赞助一万元的企业领导，《大众生活》杂志和《人间指南》杂志将为其撰写一万字报告文学一篇，同时在两刊发表……赞助五千元的……将为其撰写五十行长诗一首在两刊发表配以照片——这都什么乱七八糟的？”

于德利走到牛大姐桌前，把合同一拍。

牛大姐拿着合同看：“这么许诺也是有点不像话。”

“不像话？这就根本不对！哪有这么拉赞助的？还有，”于德利指着合同下角的章印说，“这合同上怎么光有咱们一个章？《大众生活》怎么没盖章？应该两个章都有才对。”

牛大姐抬头喊：“小王……”

王姑娘已不在屋里。

“不会出什么事吧？”刘书友担心地说。

“我想不会。”李东宝拿过合同看，“谁敢骗咱们？这帮人大概文化低，想多拉点钱。那章也许先盖完咱们的再盖他们的。”

“谁敢？”于德利瞪眼，“现在这人谁不敢？还别说你是个小小的杂志社了。那帮人现在在哪儿？”

“他们住一部队招待所，西郊。”戈玲说。

“更像了。东宝，你带我去会会这帮人。我走南闯北过来的，专认骗子。牛大姐，我回来前，这个章就先不要乱盖了。”

于德利拉着李东宝出门，到了门口又回过头叮嘱：“一切等我回来决定！”

说完二人出门。

“有这么严重吗？”戈玲问牛大姐。

刘书友回到自己桌前自言自语：“他呀，总想显得自己重要。”

五

于德利一脸浩然正气，昂首走进招待所大门。

李东宝跟在后面，不安地说：“你可别上去就摔脸子，了解清楚再说。”

“这我知道。”于德利噔噔上楼。

他们来到江导房间，敲门无人应，于德利推门进去，房间里乱糟糟的，床上被子也没叠，烟缸里堆满烟蒂，电话铃响着。

卫生间一阵马桶抽水响，门开了，江湖手拿一本花皮儿杂志，提着裤子出来：

“你们找谁？”

“我，《人间指南》的小李。”李东宝对于德利说，“这是我说的那个江导演。”

江湖拿起电话听了一下，电话已挂断，又放下：“昨儿熬了一宿谈脚本，屋里乱点，随便坐。”

于德利盯着江湖冷笑：“江导，都导过什么大作呀？”

“惭愧，戏不多，都是老戏。”江导系好裤带，坐下，点着一支烟。

“江导是《东方红》和老《南征北战》的导演。”李东宝说。

“是吗？”于德利仍旧冷笑。

“不值一提。”江导很潇洒地挥挥手。

“呸！”于德利大喝一声，“你以为你穿了坎肩我就认不出你了！《东方红》？你认得《东方红》是谁吗？你不就是老在野茶馆说快板的江宝根吗？蒙得了别人可蒙不了我，市里有名的骗子都在我脑袋里装着呢，你都排不上号。”

李东宝：“哎哎，怎么回事？”

于德利：“完了，这事儿肯定有猫腻。立刻叫他们把盖了章的合同收回来，撤销协议，不跟他们干了。”

江导很沉着，纹丝未乱，问李东宝：“这人是谁呀？有病是怎么着？”

“不知道我是谁？睁大眼睛瞧瞧，外面打听打听去，我往外掏坏时还没你呢！小子，论辈分儿你还得叫我一声师爷呢！”

于德利对李东宝说：“还不明白？这主儿就是个混混儿，农村二流子，搓了搓后脖梗子的泥，增白了一下脸蛋，摊儿上置了身行头就冒充起导演来了，上这儿扎来了？你问问他《东方红》是什么？还导演呢！姓江的，你自个儿说，你刚才上厕所是不是蹲马桶上？”

江导被说得面红耳赤，结结巴巴：“我是蹲马桶上，怎么啦？我那是怕传染艾滋病。”

何必从走廊走过来，正听到门内于德利在喊：“呸！怕传染艾滋病？你倒也配！告诉你，我连你哪个村的，村支书是谁都知道。”

何必慌忙推门进去。

于德利拿着那沓“晚会总体设计方案”，用手拍着：“照照镜子去，也敢上这儿自称什么著名导演！”

何必上前打圆场：“这位同志话不要说得太难听，我不了解你和江导什么关系，怎么认识的。但我插一句，不要用老眼光看人。就算是你说的那样，这么些年你就不允许人家进步吗？咱们谁又不是苦出身？过去我还蹲过大狱呢，现在谁看得出来？”

“你蹲过大狱？”李东宝难以置信地问。

“这是谁呀？”于德利越过李东宝，冲何必：“谁裤裆破了把你漏出来了？”

“哎，你这人怎么这么说话？”何必不干了，“告你我这人脾气可不好，你别招我犯错误，回头打坏你算谁的？”

于德利朝东宝笑：“听听，听听，有人居然要打坏我，胆多大？你脾气不好，我也是个二百五！”

于德利说着便冲上去，东宝忙拦住他：“别别，老于，别动手，这是何主任，《大众生活》的何主任。”

“我管他是什么鸟主任！眼红起来，看谁都是一堆肉。甭废话，把合同全交出来了，这事算吹了，不然……”

“给他给他，合同全给他。”江湖对何必道：“吹就吹，好像咱们求着他似的。老实跟你们说，当初我就不同意跟你们合办，一毛不拔。我找哪个单位不成？哭着喊着想参加主办的单位多了。”

“哎，你可别说这话，你这么说我也不高兴了。”李东宝道，“当初要不是何主任……我认识你是谁呀？”

何必道：“算啦算啦，小李，不要说了。不办就不办，本来也是双方自愿的事，好合好散，说那些难听的话也没意思。”

“我不是，我是说……”

“什么也不要说了，这事就到此为止。”何必从床头柜上拿起一沓合同，塞到李东宝手里，“这是你们盖过章的合同，都拿回去吧。”

“点清数，是不是全部。”于德利说，“要全部收回！”

“有些我们已经寄出去了。”何必道。

“限你们三日内，把寄发出去盖有我们章的合同全部追回，交到我们手里。逾期不交，我们就登报声明。”

于德利一拉李东宝：“走！”

“这么合适吗？什么也不问就掰了，到了儿也没弄清这事是真是假。”到了外面，李东宝对于德利说。

“听我的没错。”于德利说，“甭管真伪，就冲这江宝根，说死也不能跟他共事，非出娄子，宁肯把好事耽误了。”

编辑部里，戈玲正帮着牛大姐数发言稿的字数。

刘书友在一旁忧心忡忡地说：“怎么还不回来？不会真出事吧？”

“不急着回来就说明没事。你别老唠叨，我们这儿正数字儿呢。”戈玲问牛大姐：“刚才数到三百二十几了？”

“三百二十七。”牛大姐继续一个字一个字地数，数完，顿时显得轻松，伸了个懒腰，“这回够了。”

“心里有底了吧？”戈玲端着茶杯走回自己的桌子。

“戈玲，你说我‘六一’那天穿什么衣裳，布拉吉？”牛大姐问戈玲。

“不太好，太轻佻。”戈玲靠着桌子想了想，“最好是穿小翻领毛料西服，庄重大方。”

“‘六一’穿毛料热不热？体育馆有空调吗？”

“别臭美了！”于德利说着和李东宝进来，把那沓合同往牛大姐桌上一扔。“晚会的事吹了，我们已经把合同要回来了。‘六一’家待着吧。”

牛大姐闻言一怔：“怎么回事？为什么？说得好好的。”

李东宝说：“老于认出那江导是个假活儿，整个一个流浪艺人。”

“说艺人都抬举他。”于德利喝了口水说，“十足的混混儿。这也就解放了，搁过去也就是个倒卧儿。”

牛大姐：“可是……导演是假的，晚会也是假的？演员咱们可都看见了，一屋子一屋子的。”

“羊倌都是大灰狼装的，那帮羊能好得了？”于德利在自己位子坐下，“一窝米老鼠也说不定。”

“没劲，真没劲。”戈玲道，“本来想好好过个节的，这回又没戏了。”

“这样也好。”刘书友道，“多一事不如少一事，本来我也觉得这事悬点儿。你想一万多心肝宝贝小皇帝集合在一间大屋里，那外面随驾的爹妈得有多少？交通还不全堵？”

“真是的。”李东宝点头，“我怎么没想到这点呢？”

“还是年轻啊。”刘书友咂舌教训，“想不到的事多着呢。”

这时，二楼窗户下有人喊：“同志，同志。”

戈玲走到窗前，见楼下停着一辆小汽车，两男一女往上张望。女同志高声问：

“请问这楼上是人间指南编辑部吗？”

戈玲点头：“对。”

“他们编辑部有人吗？”

“有。”戈玲回答，离开窗户。

片刻，楼梯传来几个人上楼的沉重脚步声。楼下那二男一女疲惫地出现在编辑部门口。

“终于找到了，”年轻男人进门就坐在一把椅子上，“真不容易，你们这儿可真难找哇。”

“你们找谁？”戈玲问那个女同志。

旁边一个矮胖的中年男人有气无力地说："就找你们。"

"你们是哪儿的？有什么事？"于德利过来问。

矮胖子脸一横："哪儿的？大众生活编辑部的。"

于德利也瞪眼："《大众生活》干吗呀？我们跟你们没关系了。"

那位女同志在一边道："没关系？你们冒用我们名义，四处拉赞助搞晚会，怎么叫没关系？"

牛大姐一听三步并作两步过来："你说清楚，到底怎么回事？"

"无耻？"李东宝愤愤地站起来，"什么叫冒用名义？这件事是你们编辑部何主任拉我们干的，你回去问他就知道了。"

"不用回去问。"女同志一指矮胖子，"这就是我们何主任，是他拉你们干的吗？"

何主任一脸冷笑："谁无耻？"

从李东宝以下，编辑部所有人都惊呆了，瞠目结舌地望着一个崭新的何主任。

于德利："拿出你的证件看看。"

何主任猛地站起来，大家以为他要掏证件，孰料他用力一拍桌子，吼道：

"看我证件？我应该看你们的证件！无法无天了嘛，胆敢冒用我们的名义招摇撞骗，你们这样干是要负法律责任的！"

"不要叫，不要嚷。"此刻，刘书友从容地站起来，走到矮胖子面前，严肃地说，"就算你是真何主任，也不必发这么大脾气，有什么话慢慢说，心平气和地说。我们真要是触犯了法律，有司法机关呢。有理不在声高，对吗？"

六

“坐，都坐。”刘书友让对方坐下，又招呼自己人坐下，倒了三杯水，送给他们摆在面前，“现在你们可以说了。”

自己拉把椅子坐到近前，做倾听状。

女同志没喝水，义正词严地对他们说，“那我们就把这件事严肃地谈谈吧。由于你们未经我刊允许，盗用我刊名义拉赞助搞晚会，你们人间指南编辑部已经触犯了法律，侵犯了我们《大众生活》的名称权。你们必须立即停止侵害，公开道歉并赔偿我们的一切损失。除此之外，我们还将向法院起诉你们的侵权行为。”

编辑部的几个人面面相觑，一语不发。

这时，门口传来一女孩的声音。“你们是在开会吗？”

接着，探进一个玲珑的脑袋怯生生、莫名其妙地看着大家。

刘书友忙站起来，走过去严肃地问：“什么事儿？”

“我想请你们看篇稿子。”女孩红着脸说。

“上里屋谈。”刘书友悄声说，严肃地带着女孩进了主编室。

“刚才您说什么权？什么权被侵犯了？”李东宝客气地问。

“名称权。”女同志回答。

“有这权吗？”李东宝回头问戈玲。

戈玲摇头：“不知道。”

“我知道。”于德利说，“有这么一说。就是说咱们用了他们的名字，他们没允许，这就叫侵权了。”

“用用名字就侵权了？这，这法律管得也太宽了。”

“当然宽了，不但用名字管，用脸蛋、身段也管，那叫肖像权——你可真是不懂法。”于德利说。

李东宝惭愧地摇摇头：“真是不懂，光知道不经允许拿人家钱犯法。”

他对矮胖子等人道：“要不这样吧，你们也不经允许用一回我们名字，这样咱们两家就扯平了。”

“我警告你，你……你叫什么名字？”何主任问。

“李，李东宝。”

“我警告你李东宝，还有你们全体。”何主任厉声道，“这是一件非常严肃的事情，不要打哈哈！打哈哈的结果只能是打到你们自己身上。”

“有什么大不了的？”李东宝不以为然，“不就是用了名字吗？你们不让用我们就不用了呗。还用这么兴师问罪，上法院什么的？”

何主任：“名字？你也不看看这是谁的名字——《大众生活》！如雷贯耳的名字——是你们能乱用的吗？”

另一个同来的男子也道：“用了，就得付出代价！”

戈玲小声嘟哝：“可是又不是我们用了你们的名字……”

“对呀！”李东宝猛醒，“我们也没用你们名字，是他们，何必……”

“谁？”何主任厉喝。

“他们，那帮骗子，他们用了你们和我们的名字。”李东宝口气忽然硬起来，“我们也是受害者，我们也要追究！”

“对！”戈玲道，“我们也是受害者，敢情他们是两头骗。”

“谁们？”女同志问。

“何……假何必和搞晚会的那帮骗子。”李东宝道，“我领你们去找他们，这帮坏蛋，不能跑了他们。”

“什么他们你们的？我就认你们！我不管你们是不是受害者，我就认公章！”

何主任说着掏出几份合同拍在桌上："这是你们去拉赞助的厂家给我们寄来的，上面盖的是你们的公章。"

戈玲："可是，干这事的并不是我们的人。我们也是被他们骗的，以为他们是你们的人才给他们盖的章——本意也是成全你们。"

女同志："怎么又成全我们的人了？我们根本就不知道有这码事，是人家厂方给我们打电话询问核实，我们才发现的。"

"不要跟他们说那么多！"何主任不耐烦地一挥胳膊，"我们不管什么人干的这事，谁盖了章就找谁。合同上有你们的章，你们就要对此负责——我就找你们算账！"

"你这话可就有点不讲道理了。"于德利说。

"不讲道理？"何主任冲于德利去了，"我今天就是来找你们讲理的！不但我要跟你们讲，还要拉你们上法庭去讲。我这话已经跟你们说到了，你们必须立即停止侵害，否则一切后果自负！"

牛大姐终于站起来，开了口："好啦，老何同志，不要发火。可以按你说的，我们负责立即责令他们停止往下搞，发最后通牒。"

"晚了！现在停止太晚了！影响已经造出去了。"何主任恨恨地起身招呼手下，"我们走——咱们法院见！"

牛大姐追上去："等一等，等一等嘛。"

何主任边走边说："不等！坚决不等。说什么也没用了，跟你们——死磕！"

三人气冲冲而去，男青年最后出门时把门用力一带，"哐"的一声。

编辑部里一片静寂，大家都垂下头，拉长了脸，无论谁看谁，得到的都是很大的白眼球。

主编室的门开了，刘书友轻手轻脚领着送稿的女孩穿堂而过，在门外又是握手又是热情叮咛：

“记住我名字了吧？下回来还找我。”

他回转身的同时挥去了一脸幸福，表情沉痛地走回自己座位坐下。

牛大姐把桌上的发言稿撕成一条一条，“到底叫我说中了吧？好啦，这回人家要跟咱们打官司了。”

说完她把纸团扔进字纸篓儿。

刘书友轻声诚恳地说：“我也早料到了，这事弄不好会让人骗了。为什么就那么听不进老同志的意见？”

“牛大姐，我可不记得你说过这事不能办。”李东宝问于、戈：“她说过吗？”

戈玲摇头：“没有，我记得她当时答应得挺痛快的。”

“就是。”于德利也说，“刚才写讲演稿的劲头摆在那儿呢。”

“你……你们怎么——唉！”牛大姐颓然垂头。

李东宝：“你真的没说过不能办，你就承认了吧，没人怪你。”

“我总说过吧？”刘书友道，“别让人骗了，要慎重，等老陈回来再决定。”

“你也没说过，你也是极力赞成的。”于德利道。

戈玲：“不是你主张让他们把钱汇进咱们账号的吗？好事往前冲，出了事往后躲，这不好，不是您这种政治面目的人应有的品质。”

刘书友气坏了，对牛大姐说：“好在还有你我两人在，我们可以互相作证。”

牛大姐：“当然，我们可以到领导那儿说清楚。”

戈玲中肯地望着二人道：“我觉得这会儿就想着怎么推卸责任，实在让人寒心。有什么大不了的事？不就是一个侵权纠纷吗？

最坏的情况也不过是上咱们人民的法院。这么点小事就不认同志了？真要到了盖世太保手里，恐怕老虎凳没坐辣椒水没灌就得叛变！”

“这是两码事戈玲，对敌人对同志那是两个态度，一个横眉冷对，一个俯首甘为，不能混为一谈。不能！绝对不能！”牛大姐气愤地站起来。

戈玲：“不管怎么说，我认为现在还远没到各自逃生的地步。出了问题就解决嘛。其实你们就是不往后缩，挺身承担责任，我们年轻人也不会让你们顶雷，我们也会主动承担这件事的责任——对不对东宝、德利？我们惹出的麻烦我们不推诿。”

“对，我会特受感动，甚至把你们的责任全揽过来也不是不可以商量。”李东宝傲然起立，“上法院我去！雷要炸炸我一人！”

“没错！”于德利也说，“其实你们不这么说，说不说，我和东宝、戈玲也会一如既往冲在前面，决不让你们受半点惊。事儿大不怕，怕就怕分崩离析。戈玲讲话：寒心。真是不需要你们出什么力，只要给我们点鼓励，说点暖心的话，就感激不尽了——牛大姐，暖心的话会说吧？”

牛大姐想了想，心一横，咬牙道：“会说！既然你们这么说，那我告诉你们，作为临时负责人，这事的主要责任由我来负。”

于德利一拍大腿：“就要你这句话大姐！有您这句话就齐了，没您的事了，该干吗干吗吧，事儿我于德利一个全顶了。”

“不不，”牛大姐说，“事儿是咱们大家办的，咱们都有责任，解决问题也该咱们大家一起解决。”

刘书友跳出来反对：“我不同意你这种错误人人有份的说法，不能不分青红皂白。事实上我确实反对过这事，在这之前我就表示过不同意见，而且一直对此持怀疑态度。”

“老刘哇，烈火金刚啊？”李东宝一拍刘书友肩头，“不承认不行，要论水平，你真是比牛大姐差一大截子。”

“还不如一个群众呢。”牛大姐斜他一眼，“他的问题，我们以后再说。眼下我认为马上要办的第一件事就是去找江湖，勒令他立刻停止晚会的筹办！”

七

“我是一个黑孩子，我的祖国在黑非洲。黑非洲，黑非洲，黑夜沉沉不到头……”

一个擦了一脸鞋油的小姑娘在如泣如诉地唱。

八个同样小脸擦得黑黑的小姑娘在伴舞，随着歌声作种种悲愤欲绝状。

排练厅里，江湖、假何必等一串人坐成一排看孩子们排练。

江湖煞有介事抽着雪茄，手里拿着块秒表掐节目时间。

假何必：“不够悲惨，还应该更惨点儿，带哭腔。江导，是不是应该把裙子再撕几个口子，越破越好，这样才能把非洲人民的痛苦和不幸更强烈地表现出来。”

“够惨的了。”江湖道，“这是过节唱的歌，也不能让小朋友们都哭得泪人似的。”

“西方来的老爷们，骑在我们的脖上头，这帮去了那帮来，强盗瓜分了黑非洲……”

小歌星声情并茂，江湖随着歌声情不自禁地摇头晃脑，沉溺于中，竟带出一滴泪来。

他将那滴泪用食指轻轻弹去，站起来一击掌：“停，停停！”

他走到小演员们跟前：“这段舞蹈情绪没转过来，应该悲中有愤，突出非洲人民反抗斗争的决心。伴舞的小朋友动作要刚劲一些，眼睛要喷出怒火，国家被瓜分了嘛，很气愤……”

江湖边说边翩翩演示：“‘骑在我们的脖上头’，唱到这里时腰要弯到九十度——这样。”

他发现自己是啤酒肚弯不下去：“你们就尽量弯吧。”

“脸呢？还悲伤吗？”一个小演员学着弯下腰，从两腿间露出脸问。

“当然，又悲伤又愤怒。”江湖示范了一下，孩子们都笑了，纷纷学着出怪相。

江湖也有些不好意思。“算了，不要脸了，光眼里喷出怒火就行了，再来一遍——音乐！”

他退回自己位子坐下。

“我是一个……”

小歌星刚唱了半句，戈玲走过来，拍拍他的肩膀，“别唱了——都起来吧，一边歇着去。”戈玲挨个叫那些弯腰拱背的孩子。

江湖猛地站起来：“你是谁？要干吗！”

“坐下坐下，咱们谈谈。”李东宝从后面拍他肩。

江湖回头一看，自己已被李东宝、于德利夹在中间。

“你们要干吗？我要求作出解释。”

“会给你解释的，”李东宝说，“先坐下，还有你，何必何主任，不要走，过来坐这儿。”

于德利冲小演员和其他人员喊：“其他人都出去，统统出去，一个不要留。”

“走吧走吧。”戈玲捡起小演员们的衣裳披在她们身上，轰鸡似的赶着这帮唧唧喳喳的小姑娘，“今天不排练了，回去把小脸洗洗吧。”

江湖跳起来喊："你们怎么敢？太不像话了！这儿我是导演。"

"坐下坐下，安静点。"李东宝把他按下来，"你已经不是导演了。"

江湖心虚地看假何必。

假何必坐在一边闷闷地吸烟，神态忧伤。

"说说吧，怎么回事？主意谁出的？"于德利开口道。

江湖："我不明白，我抗议！"

"那么你先说。"于德利转向假何必，"你的真名叫什么？"

假何必："你们听到什么了？千万别信谣言，谣言害人这你们也知道。"

"得了，"于德利捅了他一拳，"你不想我们扭送你去派出所吧？"

"我看不出你们有什么理由扭送我。"

于德利笑了："你瞧，你这就不像聪明人了，我们要不掌握了情况能这么问你吗？丢掉幻想吧。事情已经全部败露了，现在重要的是争取个好的态度。可以告诉你，我们几个还是比较好说话的，见不得人说软话。甭管这人干了什么，只要哭天抹泪，痛改前非，我们都给出路。"

"最恨的就是软磨硬扛，死不承认。"李东宝摩拳擦掌，"没火也勾起火来，哪怕打人犯错误，有理变没理，也得先把这口恶气出了。"

"说吧，真名叫什么？"于德利敦促，"我数三下。"

假何必无奈地叹口气："不要动粗——刘利全。"

"职业？"

"一九五八年开除公职，无业至今。"

"嗳，这态度就好，是个老实的态度。就是说，你是个职业骗子？”

刘利全想了想，点头：“不少人这么评价我，可我自己从不这么认为。”

“你认为你是什么？”戈玲问。

“在我们老家，我这种人被称作能人。”

“噢，这么回事。”于德利看看旁边颇不以为然的江湖，“两个能人碰在一起，一个乡下二流子，一个城里骗子，就想出这么个馊主意。”

刘利全笑了：“没错，一个人的智慧是有限的，红花还得绿叶扶，铝合金比什么都结实。”

“有道理。”于德利点头，“不过你们胆子也太大了，就不怕露了馅被逮住？”

刘利全推心置腹地说，“不入虎穴，焉得虎子？干什么不冒风险？这也就是叫你们发现了，要没发现呢？我们是真把这事当事办的，真办了，不也利国利民精神文明？”

“真能说呀！还挺像回事。”于德利赞叹。

“要不怎么人家是骗子呢？”戈玲道，“搁咱们一句话没说完准脸红。”

李东宝：“我就纳闷，按说咱们智商也不低呀，也都小精怪似的，怎么就让这俩家伙蒙了？怎么瞅这俩怎么像弱智。”

“大意了呗，想占便宜呗。”刘利全奚落东宝，“聪明一世还有糊涂一时呢。”

江湖此时也露出微笑：“你以为我们骗谁？就是骗你们这样儿的，自以为机灵，没人敢骗。真正的老实疙瘩我们才不去惹呢，都活得在意着哪——说什么都不信。”

于德利再三点头：“有理，听着长见识。那你们现在怎么办？

被我们逮着了，这回傻了吧？”

江湖、刘利全一起呵呵笑起来。

刘利全：“傻什么呀？我们才不傻呢。被你们逮着就逮着吧，大不了我们晚会不搞了，一点其他事儿都没有，拍屁股走人，真正傻的是你们。”

江湖：“别别，晚会别不搞了，还得继续搞，不用他们名义就是了。”

“怎么着？你们还要继续搞下去？”于德利火了。

“你别火啊。”刘利全和颜悦色地说，“听我跟你说，我们是用谁的名义搞的晚会？”

“我们和《大众生活》的。”于德利说。

“盗用！完全是盗用！”戈玲在边上气愤地说。

刘利全：“可你们盖了章，姑娘，这章总不是假的吧？”

戈玲：“这是你们采取欺骗手段骗我们盖的。”

刘利全：“甭管采取什么手段，盖了章就代表承认，授权，我们拿你们盖了章的东西，再干什么都不是我们个人的事了，民法上叫职务行为，全是为你们干的。”

李东宝急了：“要这么说《大众生活》没给你们盖章，你们也用了他们名义，你们就侵犯了他们的……老于，那叫什么权来着？”

刘利全：“我告你，名称权。”

李东宝：“对，名称权，这你怎么解释？”

刘利全：“没准，是侵犯了他们的名称权。可这跟我们个人没关系，要追究，他们追究你们，是你们侵犯了人家的名称权。”

戈玲：“怎么是我们？我们也被你们骗了，事是你们干的。”

“你们怎么不明白呀？”刘利全十分不耐烦，“听好，我再给你们解释一遍：我们不是个人行为，是职务行为，所有一切都是为你们干的，当然得追究你们。盖章了嘛，功劳是你们的，过失也是你们的，这叫法人责任。法人责任必须由法人承担。我们俩都是自然人，行为人，除了这里有个人的违法情节，贪污啊，受贿啊，其他一切所为不受追究。”

江湖厉声喝道：“不懂法吧？不懂你们就抓瞎！”

“他妈的天下还有这种理！”李东宝开骂。

刘利全含笑道：“对喽，这就叫法理儿，回去好好学学吧，学好了再出来混。唉，不懂法寸步难行啊。”

“我扇你个老骗子！”李东宝扬手。

“你瞧你瞧，你这就不对了吧。”刘利全责备李东宝，“有理讲理，君子动口不动手，打人算什么本事？我过去像你一样，就吃过这亏，你可千万别学我。”

于德利拦下李东宝，“就是说，我们拿你没办法了？”

“丁点儿办法都没有。”刘利全愈说愈诚恳，“你们现在能做的也就是撤销承认，把盖了章的合同和文件全部收回，对今后我们的行为不再负责。”

李东宝：“这个我们是早已申明了的，上次我们老于已经正告了你们。”

刘利全：“我们也按你们的要求收回了合同并交给了你们。”

戈玲：“可是你们没有收回全部合同，有些已经落到了《大众生活》手里。”

刘利全点点头：“噢，原来是这样。怎么，他们已经追究你们了？”

于德利艰难地点点头。

“所以你们找来了，想让我们对此负责？”

“对。”于德利的声音很微弱。

“没办法，你们只好自己负责。”刘利全道，“老实说，我想替你们负责都不可能，道理我前边已经讲过了，我对此只能表示深深的歉意。”

江湖看看手表：“就这样吧，你们回去自己想办法吧，我们要继续排练了。”

他说着便去门口喊人。

刘利全：“走吧，再待下去也没意思了。我们现在已经不是你们的人了。《儿童世界》已经接办了这台晚会，全部合同改换了他们的名称和公章。”

三人面面相觑。

小演员们陆续进来。

江湖喊：“快一点，别磨磨蹭蹭的，我们要把时间抢回来！”

他又冲李东宝等人喊，“我请你们立即离开，不要影响我们排练！”

刘利全见状道：“别，别那么厉害，我还是那句话。好合好散。山不转水转，没准儿将来还要因为什么共事呢——愿意看排练可以留下，但别出声。”

李东宝三人无奈起身，怏怏离去。

刘利全一路陪送他们出门，再三叮嘱，“以后可得注意了，社会多复杂呀，不懂法你们还会吃大亏，这次就算我给你们上了一课吧。噢，如果这个官司需要法律咨询，尽管来找我。”

江湖在后边给小演员们讲情绪。“要悲愤，心情压抑，动作的速度放慢一拍……”

“唉——”于德利在编辑部里长叹一声，“骗子们如此专业，我们真是自愧弗如啊！”

李东宝叹："现在说什么也晚了，只好认了。"

"认了？就这么认了？"戈玲道，"多冤哪！"

"有什么办法？"李东宝自怨自艾，"谁让咱们盖了章？"

"现在只能坚持一点了。"于德利说，"我们也是受骗的，而且一经发现立即制止了，自动中止了。"

李东宝说："这理在咱们这儿当然讲得通，只怕《大众生活》不听咱这理，死活跟咱们较真儿，就认章。"

"他凭什么不讲理？"于德利说，"杀人还有故意和过失呢，咱们又不是成心侵他的权。"

"看来这事恐怕还得去和《大众生活》解释一下。"牛大姐道，"跟他们好好谈谈，把事情经过，平心静气、原原本本讲给他们听，相信他们会通情达理的。"

刘书友道："你没见上次他们主任那脾气？一点没涵养，得理不让人，再去也得碰钉子。"

于德利道："那怎么办？总不能坐在这儿等死，试试总比不试强，都是文化人，能解释清楚，确实不是我们干的，这里有误会。"

"谁去好呢？"戈玲问。

"我去吧。"李东宝说，"还是我去，事情的经过我都在场。"

牛大姐收拾桌子："我也去，我想这事最好在领导和领导之间谈容易一点，也显得我们重视。"

戈玲："老于就别去了。现在他们情绪处于激动状态，也许话里带刺儿，老于脾气冲，弄不好会吵起来。东宝受点气倒是家常便饭。"

"他脾气不比我好多少。"于德利道，"不至于，他们干吗非跟咱们过不去？不了解情况可能有些冲动，了解了情况肯定就不会那样了。换我们也不会那么得理不让人。"

八

在大众生活编辑部门口，牛大姐叮嘱众人。“记住，进去后态度一定要诚恳。”

大家点头，戈玲敲门。

一个年轻编辑打开门。

戈玲很客气的：“我们是人间指南编辑部的。”

屋里上次去过《人间指南》的女同志闻声站起来：“噢，你们是来谈那件侵权的事？”

一行人走进屋，李东宝对女同志说：“对，我们想找你们何主任谈谈，这是我们领导。”他指牛大姐。

“好，请坐。”女同志让座，“你们等一下，我去叫何主任。”她走进里屋。

“坐吧。”开门的年轻编辑对他们说：“你们也够可以的。”

李东宝朝他笑笑。

里间传来何必的吼声：“不谈，没什么好谈的，叫他们回去……领导来了？领导来了怎么啦？领导来了也不见！没工夫！”

片刻，女同志出来，为难地对他们说：“我们老何说他有事正忙，不能和你们谈。”

李东宝：“就谈一会儿，或者我们等他忙完了。”

女同志：“我也是这么说的，可是我们老何……还是请你们回去吧，如果有事，我们会找你们。”

李东宝：“你瞧我们来一趟也不容易，那件事有些情况可能你们还不了解，我们希望能和你们把事情谈清楚。”

“是啊，”牛大姐开口，“麻烦你再去请示一下老何同志，我们不耽误他很长时间，谈完就走。”

女同志：“好，我再去试试。”

女同志进了里屋不久，再次传来老何的吼声：“说不谈就不谈，谁来也不行！……好，我亲自跟他们说！”

里间门“哐”地被推开，何必气冲冲地冲出来，脸红脖子粗地大声喝问：

“你们怎么进来的，谁让你们进来的？”

李东宝回答：“门开着，我们就进来了。”

何必指着门外：“请你们出去，立即出去！今天我不跟你们谈。”

李东宝：“消消气，老何，谈谈嘛，关于你指控我们侵权的事有些情况您还不太了解，有必要……”

何必一挥手：“我不听！事情已经很清楚了，没有什么好说的。”

戈玲：“何必呢，老何，听听情况有什么不好？这也有利于你更好地解决问题。”

何必梗着脖子吼：“实话告诉你们，我正在起草声明，今天晚上就上‘新闻联播’——你们等着瞧吧！”

牛大姐见状忙上前：“老何同志，有些事不忙下结论，多了解些事实再下结论不好吗？”

“这是我们主编。”李东宝临时给牛大姐封了个官。

何必不叫了，冷眼打量牛大姐。

女同志适时开口：“请你们到里间办公室谈好吗？”

众人进了里屋，何必余怒未消地坐在自己桌前，拿起一张纸晃动：

“这是我正在起草的严正声明，要不要我给你们念念？”

“不忙念。”牛大姐谢了让她坐的女同志，对何必说：“要知道，用你们名义拉晚会赞助的那些人不是我们《人间指南》的……”

何必厉声道：“我不管他们是哪儿的，我已经掌握了足够的事实，盖了你们章签了你们名的合同就在这儿。少跟我说别的，我就是要砸你们这个《人间指南》的牌子！我要开新闻发布会，向全国报刊发布消息，披露这一恶性事件。”

于德利压着火上前道：“你没有权力这样做。在事实没有全部澄清前，你可以指控我们侵权，但我们是否确实构成了侵权，这要司法机关依照事实和法律进行裁决。”

何必闻之一怔。

于德利又说：“你不是要打官司吗？那就应该尊重人民法院的权威。在人民法院作出正式判决前，你们擅自发消息，断言我们侵权，一是借舆论干扰法院办案，二是构成诽谤。”

何必声色俱厉：“你是谁，叫什么名字？”

于德利：“我是《人间指南》编辑，叫于德利。”

何必支使女同志，“把他的名字记下来。”

“可笑！你还想把我怎么样？”

“我现在不跟你说。”

“你凭什么不跟我说？我是当事人之一，你无权拒绝听取我的陈述，同时必须回答我的问题……”

“请你马上出去，我不要跟你说话！”何必愤然站起，指着戈玲：“还有你，你也出去。来这么多人干吗？都给我出去！”

戈玲：“你对我说话客气点。这么大人了，怎么一点礼貌不懂！”

何必暴跳如雷：“我就这么说话，对你们就不能客气！”

李东宝噌地立起：“你这么说话就不行——不允许！工作上的

错误可以讨论、检讨，但必须是同志式的，不能进行粗暴的谩骂和无礼的斥责！”

于德利也站起来：“你要是在大街上跟我这么说话，我大嘴巴早抽你了！”

他问女同志：“你们这个人平时教不教育？怎么一点不像领导干部？十足一个流氓嘛。”

何必隔桌探过上身，睚眦欲裂：“你敢，你敢动我一下！”

于德利指着他鼻子：“你瞧瞧你，像什么样子？你平时对谁都这么无礼吗？对领导也采取这种态度？”

戈玲在一边说：“不会，这种盛气凌人、不尊重他人的人往往都有另一面：媚上。”

李东宝拍拍何必：“给你句忠告老何，要学会尊重别人，别人才会尊重你。”

“少碰我！”何必使劲扭身子，李东宝仍够着又拍他一下。

女同志上来打圆场：“算了算了，都别吵了，都请坐。”

“好，好，你们不走——我走！”何必气急败坏地拂袖而去。

牛大姐有意阻拦：“哎，老何……”

何必夺门而走。

“别追了。”李东宝对牛大姐道，“这样的人走也不可惜。”

女同志道，“这样吧，你们跟我谈，这事我也清楚，从头到尾都参与了。”

戈玲问女同志：“这姓何的在你们这儿是不是霸道惯了，没人敢惹？”

于德利：“你们是不是也常受他的欺负？”

李东宝同情地瞅着女同志：“你们在他手底下也怪可怜的。”

女同志不便跟着非议领导，含含糊糊说：“老何脾气是暴点，人倒是好人。”

于德利：“不是，他这样下去不行的。跟我们耍耍脾气，我们还能谅解，真要遇上个脾气也暴的那人家还能饶他？就他那德行能经得住几拳几脚？”

“问题还不在这儿。”李东宝道，“真要遇上个外宾什么的那影响多坏，给人家什么观感？中国人都这么粗野？不过要真碰上外宾，戈玲，他大概也像你说的那样，就不这样了。”

“都少说几句吧，”牛大姐道，“咱们还是谈正事。”

“对，”李东宝也说，“咱不能跟他学，许他无知不许咱无礼。”

女同志给大家倒水，戈玲接过暖瓶：“我来吧。”

牛大姐拉着女同志促膝坐下，诚恳地说：“是这样，上次你们到我们编辑部走后，我们立即进行了调查，的确如你们所说，出现了一个以你们名义筹办的‘六一’晚会剧组。这些人持有经过我们盖章的演出合同。但他们根本不是我们编辑部的人，也未经过我们编辑部的任何委托，他们的所作所为完全是他们个人的行为……”

女同志说：“可是他们拿着的合同全盖了你们的章，据我们了解，他们出去到各企业拉赞助也全是以你们的名义……”

“这个章的事儿是这样的。”李东宝插进来说，“上回我也跟你们讲了，他们是用同你们刊物合办的名义骗取我们盖的章。在这之前我们并不知道他们没有得到你们的允许。”

“可你们为什么不来个人或打电话向我们询问一下呢？都在这个市里，隔得又不远，打个电话应该是很方便的。”

牛大姐检讨：“这确实是我们的疏忽，我们有责任，我们过于轻信那个假冒的何主任了。”

“其实你们现在跟我们说这个已经没有用了。”女同志道，“这官司我们肯定是要跟你们打，因为要挽回影响。而这些盗用我们名义的合同上盖的是你们的公章。我们不能去跟个人打官司，只能公对公。如果他们对你们有欺诈行为，那是你内部的事，你们去追究他们，跟我们没关系。”

“可你们这么一干，岂不是放过了真正的罪魁？”于德利道，“你们的目的不就是要惩罚随意盗用你们名义的人？板子打在我屁股上，真正干了坏事的人是不疼的，实际上他们也正是钻了这个空子。”

“这我们就无能为力了。”

何必愤愤地又进了屋，赶开坐在他位子上的戈玲，拉着夸张的架势继续写声明。

女同志又说：“还是那句话，谁让你们盖了章的？谁盖了章就只好由谁负责，我们没有根据去让别人负责。”

何必不耐烦地对女同志道：“你不要跟他们讲了小刘，讲那些废话干吗？我们知道他们侵了权，他们内部是谁不是谁干的我们统统不要管。”

李东宝：“你这人怎么老吵吵嚷嚷的？我们这儿谈正事呢，你别一进来就插嘴好不好？好好听着。”

“别理他，咱们说咱们的，理他干吗？”于德利脸冲着女同志说，“我们的确是在那合同上盖了章，可这也并不意味着就一定侵了你们的权。晚会是由我们两家共同办的……”

女同志：“我们并没参加主办。”

“可合同上是这样写的。我们盖了章只代表我们认可晚会使用我们的名称，就是说可以合法地使用我们的名称。你们没盖章说明你们没同意，并不说明我们同时侵犯了你们的名称。这么说吧，我和老何俩人招摇撞骗……”

何必："不要提我，提我干吗？"

"又急又急。"于德利扭头说他，"随便提提怕什么？打个比方。"

"比方也不行！"

"那你去告我侵犯了你的名称权吧。譬如我和老何出去行骗，借用了你和我们牛大姐的名义，你们俩是名人。"

"无聊！"何必嘟哝。

于德利没理他，继续道："牛大姐同意了使用她的名字而你没有同意，我侵犯了你的名称权，你可以告我，但你没有理由告牛大姐，你懂了吗？"

"我懂你的意思。"女同志说，拿过一合同，"问题是在这些合同上你们并没有合作第三者的称谓，你仔细看这上面的落款，都是你们《人间指南》的字样。沿用你刚才的比方，就是说你没有使用自己的名称直接使用了牛大姐的名称，我当然有理由控告牛大姐，因为在这些有效文件上只有她和我两家，并没有体现出你的存在。"

"可是……"

"你也不要说了，这些具体的法律问题我们都说不清，再讨论下去也没有什么意义。我们不是都承认法院的权威吗？那我们就听候法院的裁决吧。我们都可以把自己的观点和依据，当然主要是事实向法庭陈述。"

"好吧，看来确实也没什么好说的了。"于德利叹口气，"你们坚持要打官司是吗？"

女同志看了眼何必："是的，这也是老何的意思。"

"那就打吧。"于德利道，"我想法院在裁决时也不会不考虑到我们在这件事中的情由和态度——我们等于是自动中止了侵权。”

“可是你们没证据。”女同志道，“我们没见到任何文字的东西可以证明你们是自动中止的。”

“证据不仅指物证，证人证言同样也是证据。”

“可民事审判只看后果，不考虑主观意图是否故意。”

“这是你说的？”

“不不，”女同志有点不好意思，“我听我们这儿一个念过法律的同事说的。”

“难道非得打官司吗？”牛大姐恳求道，“我们之间就不能调解解决？就是到了法院，我想法院也会先进行调解。”

“可以调解。”何必昂着脸插话，“但首先你们得承认侵权，其次再公开赔礼道歉，然后就是赔偿名誉损失和经济损失。”

牛大姐：“如果我们真算侵权，我们当然可以道歉。”

女同志：“老实说，你们确实侵权了，到哪个法庭你们也不会胜诉，这官司我们是赢定了。”

“我想问问，”李东宝道，“如果我们承认侵权，你们打算要多少赔偿？”

何必亮出一巴掌：“五——万！”

“你疯了吧？张嘴就来。”于德利冲他嚷，“你凭什么要五万？”

何必冷笑：“那就请便。”

牛大姐也急了：“这不是敲竹杠吗！”

戈玲站起来：“牛大姐，没什么好谈的了，我们走。我相信，他这种无理要求，任何人民法庭都不会予以主张！”

“你就等着瞧吧——小妞！”何必冲戈玲伸出一个手指头威胁道。

九

一干人出了大众生活编辑部，个个心情沉重，谁也懒得再说什么了。

晚上，几个年轻人聚在李东宝家边喝酒边看电视。

李大妈端着一盘炒鸡蛋送上桌，殷勤对于、戈：“你们俩放开量喝，走不了就住这儿。”

于德利说：“没少喝，这一瓶多半是我喝的。”

戈玲脸早红了，痴痴地笑着：“大妈，我都不行了，头都有点晕了。”

“没事，你有量。”李大妈笑道，“再喝，喝完大妈陪你们搓几圈。”

戈玲拿起酒瓶：“大妈，我给您倒一杯。”

“等我先把电视关了，你们也不看，怪吵的。”

“别别，大妈，千万别关。”于德利说，“我们这儿就是等着看电视呢，今儿‘新闻联播’有我们。”

“有你们？”大妈问于德利，“你们是开会还是义务栽树了？”

“您等着瞧吧，到时候准吓您一跳。”李东宝说。

大家边喝边瞅电视。

“也谈到了，”李东宝说，“都报画展了。”

电视画面换成了外国的大街和金发碧眼的白人。

“没有哇！”于德利叫，“这都国际新闻了。”

李东宝松了口气：“我就猜着没有。中央电视台，那是什么地方？党和政府的喉舌，不是何必他们家私人的！噢，想报什么就报什么？屁大的事——谁关心呀！”

戈玲也来了兴致："就是，何况这事也不怪咱们，姓何的纯粹是虚张声势。"

李东宝斟满各人的酒杯，率先端起："干，干了这杯！我也想开了，咱这事到哪儿都讲得出理，打官司也不怕，法院他也得考虑咱这具体情况。"

"你放心。"于德利喝了杯中酒，絮絮叨叨说，"咱这社会主义比资本主义不同在哪儿了？就是人情味儿浓。法院怎么啦？法院里也全是人。判刑还有民愤这一条呢。"

"回头我就去找律师，把咱这理儿说得透透的。凭什么不原谅咱们？罪犯还给出路呢。"李东宝冲天嚷嚷。

戈玲摇摇晃晃一把抓住东宝的手："到时候我跟你一起出庭。咱们一个慷慨激昂，一个委屈万分……必要时我就泪如雨下。"

"我也眼圈发红，神态坚强，声音发颤。"李东宝沉溺在想象之中。

李大妈首先被儿子打动了："大妈也不知道你们到底犯了什么事，有多大罪过，但就你们刚才这一席话，大妈不是法官听着心里都发酸。我就算够不能容人的了，那法官的肚量还能不如我？"

"宰相肚里能撑船，法官肚里怎么也够骑几圈自行车的！"于德利断言。

十

就在《大众生活》紧锣密鼓地准备起诉，《人间指南》这边也周密布置，提前发动作者去法院找关系的当口，主编老陈处理完母亲的丧事回来了。

老陈上班那天，编辑部的一帮人都很紧张，不知该如何对老陈汇报这桩倒霉事。瞒也瞒不过，李东宝打听了，他想出庭法院都不准许，非得法人代表老陈去应诉。可怜老陈五十多岁的人，刚遭了丧母之痛，又稀里糊涂地成了被告。

老陈进门时，大家都用同情、揪心的目光注视他。

据说老陈是孝子，可脸上并无丝毫忧戚之色，还给大家带了些家乡特产“孝感麻糖”在编辑部里分发。

互道了平安后，大家各自散开工作。牛大姐在大家目光的鼓励和督促下，一横心站起来，走进主编室。

牛大姐给陈主编汇报事情始末时，陈主编一直在上上下下找他的一支圆珠笔。

牛大姐几次停下来，他又说：“往下说，往下说。”

牛大姐讲完了事情的全部经过后，陈主编表情毫无变化，看不出情绪有任何波动，只是说：“知道了，你回去吧。”

牛大姐以为自己没说清楚，老陈没意识到事情的严重性，便再次强调：“人家要告我们的。”

老陈仍无反应，终于找到了那支圆珠笔，窃自安慰，看了眼牛大姐：“谁要告我们？”

“何必，他们编辑部的主任。”

“他说了不算吧？”老陈慢悠悠地说。

“怎么不算？他是负责人，话说得很难听，对我们凶得很。”

“让他凶去。”老陈不以为意。

牛大姐为老陈的态度所迷惑：“您认识他？”

“见过。”老陈回答，“不熟。”

“那您可千万留神，这个人很不好说话。”

“我跟他说什么？”老陈道，“他有没有上级啊？这个事儿你不要管了，下午我给胡老打个电话讲一下就是了。他对你们凶对胡老也凶吗？”

陈主编挥挥手让牛大姐去了。平时若是陈主编如此，牛大姐出来还要发发牢骚，背地里和陈主编比比资历。此次出来，禁不住一脸喜色，一身轻松。

大家围上去向她打听陈主编的态度。牛大姐一脸严肃地对大家说：

“都回去工作，这件事就不要再议论了，领导会妥善解决的。”

再问，翻来覆去还是这些话，搞得大家既不满又好奇。

还是两个小时之后，牛大姐忍不住主动跟大家说了，还加入了许多添油加醋的渲染。

“那个胡老和我们老陈有师生之谊，在‘华北革大’时老陈是胡老最得意的弟子。“文化大革命”时又一起挨过斗，老陈对胡老一点没揭发，至今亲密无间。我们出版社的二编室的那个小胡你们知道吧？就是胡老的儿媳，老陈一手把她调进来的。《大众生活》胡老讲话那是一言九鼎，何必算什么东西！还不是看胡老眼色行事的小力笨儿。”

也不知胡老和陈主编的关系是不是真如牛某人所说，不过这事从此确实没了下文，《大众生活》再未打过电话质询，法院也无传票送达。

有次开某寿星作家的祝诞大会，编辑部的人还和何必等人狭路相逢。何必只是昂脸不理人，但只字未提官司的事。

三个月后，《大众生活》的那位姓刘的女同志打来电话，李东宝接的。

女同志在电话里一本正经地对李东宝说：“经我们研究，考虑到你们的态度，并考虑到同行的关系，我们决定不起诉你们了。但希望你们在《人民日报》上登一个启事，以示道歉。”

牛大姐道："不要理她，她们决定不起诉了？起诉得了吗？在《人民日报》上道歉？想得美！"

隔了几日，女同志又打电话来，还是希望《人间指南》道歉。

牛大姐接了电话，不客气地拒绝了她："我们没有这个义务！在这件事上，我们并没有做错什么。"

遭了牛大姐抢白，女同志不敢再打电话找牛大姐，只是三番五次地打电话找李东宝，反复恳求他做做工作，向他们道个歉。后来都在电话里哭了，说她现在十分为难，何必认定这事是她经办的，而且没办好，每天一见她便奚落她，说她没工作能力，逼她催促《人间指南》道歉。

"你们就给我们道个歉吧。"女同志乞求李东宝，"哪怕在你们刊物上写个一百字启事呢。否则我真没法交代，简直都不敢上班了。"

李东宝闻之不忍，对大家说："要不咱们就给他们道个歉。"

戈玲、于德利都说："道吧道吧，有什么大不了的？给《大众生活》这样的刊物道个歉也不丢人。"

牛大姐、刘书友坚决不同意："这是原则问题！"

于是几个年轻人就去磨老陈，老陈先也不同意，后来架不住几个人总磨，便答应了。

老陈对他们说："这个声明这么写：今年，人间指南编辑部在弘扬社会主义精神文明和民族优秀文化方面作出了突出成绩，发了一批在社会上很有影响的稿子，起到了很好的社会效果，在广大读者和群众中引起很大反响。但是，本刊也注意到了，近来社会上有些人打着本刊和《大众生活》的名义进行了一些非法活动，给两刊都造成了恶劣影响。本刊特此严正声明，今后凡用本刊名义进行采访、联系工作者，必须持有本刊介绍信和记者证。若无以上证件和介绍信，发生的一切纠纷和问题，本刊概不负责！”

这个声明在年底登在《人间指南》杂志的最后一页补白处。

李东宝把声明剪了下来，装入信封挂号寄给了《大众生活》的那位女同志。

（原载《都市文学》1992 年）

刘慧芳

一

刘慧芳一上车就注意到了那个男人在盯着她。公共汽车里人不是很多，刘慧芳从中门上车后便站在车厢连接处，那个男人站在前门售票台前，频频地用眼睛瞅她，其视线是毫无遮拦和肆无忌惮的。刘慧芳眼睛看着车外，仍能感到那男人视线落到她身上的分量。她认为那注视是不怀好意的。

她蓦地感到紧张，因为她发现那个男人的身体在向她挪动，他们之间的距离不易察觉地缩短了。那个男人确凿无疑地向她微笑。

公共汽车停了一站，很多外地旅游者上了车，车厢里立刻充满了吵吵嚷嚷、不知所云的南方话。那个男人的身影被人群遮没了。售票员和一个外地女人拌嘴。刘慧芳从容了一些。

她看到旁边空出一个座位，刚要去抢，被一个肥胖的中年妇女捷足先登了。这时，她发现那个男人紧贴着站在她身后，目不转睛地看着她微笑。她第一个想到的就是嘴角上火起的一串小燎泡，再想挪动身体，身旁左右已被其他乘客紧紧夹住，动弹不得。

她跳下车，小挎包被后面的乘客夹在门里，用力一扯才拽出来，她再一次看到了那个男人的脸。

售票员在车窗探出脸，让她出示票，她从小包里拿出月票亮了一下，便沿着人群熙攘的街道快步往前走了。

那个男人跟在她身后，步伐不紧不慢。

二

“是慧芳吧，哦，你好。”

她一进门，便被一个高大丰满的女人热情地拥抱。巨大、空旷的房间内，一些陌生的中年男女环立在一张大台球案旁，纷纷掉脸望着她微笑。

“我是刘雅丽，认不出我了？”女人脸上有很厚的脂粉。

“噢，你好！”刘慧芳眼睛一亮，愉快地笑道，“你还这么年轻，走在街上我真不敢认。”

“你好，慧芳，我是郭力维。”一个西服革履的瘦长男子走过来向她伸出手。

那些男女陆续走来，向她自我介绍，望着形容依稀的旧日同班同学们，刘慧芳满脸笑容，眼眶却有些湿润了。

“多少年了？有二十年没见了吧？”刘雅丽感慨地说，“咱们五班的同学又聚到一起来了。”

“都老了，人也凑不齐了。”郭力维道，“有的人再也找不到了。”

一个面容苍老、头发雪白的老年妇女出现在门口，徐月娟搀扶着她。

同学们都向她拥去，此伏彼起地交口叫道：“吴老师！”

老太太笑得脸上的皱纹更密更碎了，她颤巍巍地迭声问：“你们都是谁呀？”

“嘿，刘慧芳，不认识我了？”公共汽车出现过的那个男人笑眯眯地出现在慧芳面前。

台球案上放着一些啤酒和水果，久别重逢的同学们三五成群地站着交谈。

“瞎混瞎混，我这院长也是沐猴而冠，将来你看病可以找我。”

“咱们是不是可以做点生意？你们公司都做什么呀？”

“什么都做，你有什么吧？”

“刘向北你知道他的下落吗？”

“听说出国了，在印第安纳大学教中文。”

“高波死了，1971 年就因为盗窃杀人被枪毙了。”

“我都认不出你了，在车上看着像你，就是不敢认。”夏顺开对刘慧芳说。

“我变化大吗？”刘慧芳捋捋头发。

“挺大的。我记得你原来总是梳着两把刷子，一脸严肃，动不动就上我们家告状，说我在学校又破坏纪律了。我妈就揍我。”夏顺开笑，“那会儿我最恨你了。”

刘慧芳也笑，“有这事吗？我怎么都不记得了？”

“你那会儿可了不得呀，团支书，老师的小帮手，我们要想进步都得找你汇报思想呢。”

徐月娟在一边笑道：“夏顺开，你也别说了，你那会儿也真调皮得可以。净欺负女同学。慧芳头上那块疤就是你用石子打的。慧芳你给他看看。”

慧芳挡开徐月娟的手：“你现在还爱打架吗？”

“早不干这事了。还打，我成什么了？”

徐月娟："现在该挨老婆打了吧？"

夏顺开："也没你说那么惨。"

徐月娟："结婚没有？就你这样儿的能找着老婆吗？"

夏顺开："孩子都上中学了。慧芳你也有孩子了吧？"

刘慧芳："有了，大的也上中学了。"

"听说你……"

"听说你学了地质了？"徐月娟打断夏顺开的探询。

"石油钻探。"夏顺开道，"也是阴差阳错。西北石油管理局在我们插队那个地方招工，我就去了。"

"苦吧？"刘慧芳问。

"游牧民族……惯了。"

"没混上一官半职？"徐月娟问。

"没有，我在那儿搞技术。"

"哟，你还搞技术呢。"徐月娟笑，"你真吓我，就您在班上那学习成绩？"

"我在班上功课比你好，徐月娟。你还说什么呀？考试老不及格。"

"谁呀谁呀？"徐月娟脸红了。

"是是，我可以作证。"慧芳笑，"顺开淘气是淘气，功课还可以。"

"考试你还抄过我呢——有一学期咱俩坐一桌。"

"这可是没有的事。"慧芳掩嘴笑。

"我记特清楚，假装思考问题，眼睛往我卷子上瞟。"

"吃啊，喝啊，别光聊。"郭力维醉醺醺地向这边举杯，灌下一大口。

"喝着哪。"慧芳举举手中的杯子。

夏顺开盯着她瞅，笑了：“你变化是大。”

“怎么呢？”也许是因为喝了酒，慧芳脸粉红，眼睛水汪汪的。

“会笑了。”

三

“妈，我回来了。”慧芳进了门，在门口换拖鞋，地上铺的白地板革，纤尘不染。

刘大妈从厨房爹着手出来，看看女儿的脸色：

“喝酒了？今儿玩得高兴吗？”

“还行。”慧芳回答，“见了许多多年不见的同学，聊得挺开心。”

“都有干吗的——你那些同学？”

“干什么的都有，当官的，做生意的，有俩发了财的，还有一个当到了副部级——也有一般工人。”

刘慧芳疲惫地在堂厅餐桌旁坐下，伸手揉腿。

“这么多有能耐的同学，你没问问谁能帮你找个工作？按说不难啊。”刘大妈也在餐某旁坐下，“腿疼吗？”

“没事——哪好意思问？大家都聊得高兴，也不是说这个的场合。小芳呢？”

“也该回来了，都快六点了。甭不好意思，咱又不是想当经理，当个‘碎催’有什么张不了口的？”

“国强有信儿没有？他说要开那室内装修公司的事还有没有？”

“听他的？他还想兼修奥林匹克体育场呢。这孩子，概搂了点钱就以为自己将来能跟松下先生看齐呢。噢，燕子来信了，你帮妈念念都写了啥？妈查字典认了半天，就认出了一个‘妈’字。”

刘大妈把一封撕了口的信递给慧芳。

慧芳抽出信纸，看了一遍："没什么事，妈。燕子说她在海南混得不错，已经被一家大公司聘用了。"

"不是骗子开的公司吧？"

"不，是国家办的。"

"那应该有点准谱。这我就放心了。告诉燕子，建设特区妈支持，要当了'鸡'别回来见我。"

"您都哪儿听来的？乱七八糟的。"

"别以为妈不出门，就不知道天下这事，外边传得凶着呢。瞧你李大妈一听说燕子去了海南那样儿，好像咱们燕子已经卖了似的。直打听咱家彩电谁给买的。要不是你叮嘱我别在外面得罪人，我真想啐她那张老脸。"

刘大妈絮絮叨叨起身去厨房继续做饭："这竹心也不来个信，东东在美国考上重点中学没有？可别在街上让那帮黑小子给欺负喽。我就纳闷这王家，有爹有妈姑姑舅舅一大堆，一个孩子非让个外人领走。美国就那么招人待见？"

四

"说好了啊，明天上午咱俩一起请病假去文化宫书市买瘦竹的签名诗集。"

刘小芳背起书包和夏小雨说完这句转身要走，正遇上夏顺开推门进来。

"你好，夏叔叔。"

"怎么走啊小芳？不多玩会儿了？"

"不啦，玩一下午了，我姥姥该等着急了。别忘了啊，小雨。"

“忘不了。哎，争取让你妈给开个假条。”夏小雨追到门口喊，“拜拜！”

“拜拜。”刘小芳飞快地消逝在已经黑下来的楼道中。

“又憋着什么打算逃学呢？”夏顺开问女儿。

“你甭管。”夏小雨笑道，“特别特别重要的事。”

“你这学上得也太随便了，想不去就不去，考试你能过关吗？”

“没问题，那点教的东西我早会了，保证考好就是了。”

“你别太骄傲了。还有给老师的印象呢，这也很重要。就算你会了，也得给老师一个印象：她教的东西学起来很吃力。学生得有个学生样儿。”

“我知道。”

“你知道什么？你们老师现在对你已经有看法了。我不能老替你说谎请假，我现在说的话你们老师已经有点不信了。你怎么老有事？我还想给她一个好印象呢。”

“虚伪！这回不用你写事假条。”

“我是提醒你，上学不光是学知识，更重要的是学习怎么和你不喜欢的人相处，怎么去赢得别人的好感，这才是门大学问哪我的小姐。”

“爸，你说这话就像个老油条。”

夏顺开笑：“我是没你这么一个好爸爸呀。看来对孩子太纵容了还是不行，还是得打，棍棒底下出孝子。”

“你打呀，打呀！”夏小雨和父亲撒娇。

“把你那本什么瘦竹的诗集给我看看，到底有多好？把你们这些小姑娘迷成这样。”

五

“怎么到现在才回来？都几点了你看看。”慧芳一见小芳进门就说。

“到同学家做功课去了。”刘小芳一边挂书包，一边在摆好饭的餐桌旁坐下。

“洗手去。”端着一盘菜的刘大妈拍了一下她的后脑勺。

“是去做功课了吗？”刘慧芳问。

“那您说我能干吗去？跟男孩子约会去了？”小芳进了洗手间，开水管子洗手。

“这孩子，现在学着噎大人了。”刘大妈念叨，“没大没小。”

“也不知道一天到晚在学校都学的什么。”慧芳道，“得查查一天到晚都跟什么人混在一起。”

小芳从洗手间出来，关了洗手间的灯：“妈，您替我姥姥去当小脚侦缉队吧。”

刘大妈笑：“女孩子，别学得那么伶牙俐齿的，招人嫌。这孩子越长越像王家人儿了。”

慧芳白女儿一眼：“除了贫嘴还会什么？”

小芳笑嘻嘻地端起饭碗：“该我会的没一样不会的。”

慧芳也被气笑了：“那你就悬了。”

刘大妈往小芳碗里夹菜：“走了个燕子，又补上个你，怎么灵劲儿都给了你们这些小的了呢？你妈小时候可不像你，没嘴葫芦似的成天不吭一声，我说一百句也应不出个一句半句的。”

“那您多闷得慌啊姥姥。”

门铃响，小芳跳起来去开门。笑吟吟地转脸说：“姥姥，我妈来了。”

王亚茹拎着一网兜荔枝和两个菠萝进来。

刘慧芳忙站起来：“大姐，一块吃吧。”

老太太张罗着去拿碗筷。

亚茹道：“大妈，别忙了，我吃过了。”

刘大妈：“真吃过了？别跟大妈客气。”

“到您这儿我还用客气吗？”亚茹把一兜热带水果递给大妈，“开了个会，也来不及买别的，给您带了点水果。”

“哎哟，多贵呀。”

“不贵，在当地买价格还能接受。你们吃你们吃。”亚茹在一边坐下，“小芳，最近功课怎么样？你们该学解析几何了吧？”

“刚开始讲。”小芳道。

“好理解吗？”

“没觉太难。”

“现在这些孩子，就是不知道谦虚。”慧芳道。

亚茹一笑：“聪明的孩子总是自信，先别得意，到时候要看你的考试成绩的。慧芳，腿怎么样？没什么异常吧？”

“还好，就是站久了、走长了特别酸。”

“那不要紧。你是癔病性瘫痪，神经组织没有损伤。只是坐时间长了，肌肉有些萎缩，你可以找个沙袋练练跑步，增强一些腿部肌肉力量。”

晚上，王亚茹和刘慧芳在她的房间内交谈。亚茹喝着一杯滚烫的茶，嘴里发出轻微的吸溜声。

“小芳最近还听话吧？”她问慧芳。

“还算听话，就是变得爱和大人顶嘴。现在跟她说话真得格外留神，一点错儿都不能出。”

亚茹微笑："到青春期了，自个儿有主意了。没发现她和男孩子有什么过多来往吧？"

慧芳道："那倒没有。放了学就一帮女孩子凑在一起，嘁嘁喳喳，今天崇拜这个明天崇拜那个，现而今红的那些歌星、诗人都让她们崇拜遍了——谁说现在是个没有偶像的时代？"

"远远地、不着边儿地迷个谁也就罢了，别当真和身边的谁……"

"那咱们小芳绝对不会。我试探过她，她还瞧不上他们班的那些男同学，这丫头心高着呢。"

"现在这些孩子和咱们那时候真不一样。"

"可不，咱们上学那时候多纯呀，就知道听党的话，做毛主席的好孩子。现在这些孩子可好，没他们不知道的。大姐，你说这和街上那些黄色书刊泛滥有关系吧？"

"那倒未必，还是现在的孩子营养好了。我们小时候吃什么？他们现在吃什么？噢，对了，说起这个，你最近怎么样？有没有碰见合适的主儿？沪生也挺关心的。"

慧芳笑："又有他什么事？"

亚茹也笑："他这个关心是完全无私的，你别误会。你老悬着，岂不等于总在提醒他——你有罪？"

慧芳笑："我可没这么想，你叫他也别老自个儿折磨自个儿。"

"你是没这么想，可别人都这么看。你不知道他单位的那些老太太，差一点说他是流氓了。"

"那你呢大姐，你和罗冈可是没什么理由不合到一起去的吧？"

"是没理由，可婚姻是因为理由充分就一定要结合的吗？我这也就是跟你私下说，我根本不爱他，爱不起来，别看我们当初死去活来的。我试过，不行，找不着那感觉了。那又何必？又不是不结婚就过不下去，我现在不是挺好？噢，你可别学我，你还年轻，性格又好，你可别耽误一辈子，大家也不答应啊。”

小芳轻轻推开门，叫：“妈，您出来一下。”

亚茹：“叫哪个妈呢？”

“叫你呢。”慧芳道，“她现在跟我说话就叫‘喂’。”

堂厅里，王亚茹对小芳说：“那可不行，我不能随便给人开假条，有病看病。我从来不给人走后门，你这不是让我破坏原则吗？”

慧芳坐在沙发内低头织毛衣，神态若有所思。织着织着，她停下来，叹了口气。

亚茹进来，笑道：“别没精打采的，我看见好的会给你留心的，你也该积极点才是。”

“我这个条件谁能看得上我？身体又不好，也没个正经工作。”

“又提条件，你怎么忘了你最重要的条件？”亚茹颇带感情地望着慧芳，“你还漂亮。”

六

清晨，慧芳穿着运动衣，腿上绑着沙袋，在小公园内绕着一片树林跑步。树林内挂着不少鸟笼子，鸟声啁啾。不少老人、妇女在树林内打拳、练气功。俄而，有吊嗓者的高腔颤悠悠、飘袅袅地从树林中传出：“啊——咿——”

由于大气污染，远方灰蒙蒙的天际，太阳的光泽十分乌黯，像颗弄脏了的草莓。天地间却已十分明朗，树丛、花卉、儿童的衣裳颜色鲜艳。

慧芳已经跑了几圈了，气喘吁吁，汗珠盈盈，脸色喷红，使她和过去那个面带忧戚凄惋哀怨的形象迥然相异。

这时，夏顺开迈着矫健的步态迎面跑来。他的强壮身坯把那身白运动衣塞得满满的，一跑动起来，全身各组肌肉群不停抖擞，可说是曲线毕露。这是个堪令人欣赏、赞叹的运动员形象。

“嘿，慧芳，怎么在这儿碰见你了？”他边嚷边仍不停地跑。

“我还说怎么碰见你了呢。”慧芳看到一个熟人，也很高兴，声音里带着喜悦。

“我就住在这旁边的楼里。”夏顺开马不停蹄，从慧芳身边一掠而过。

“我也住在……”慧芳说了半句就不说了，因为夏顺开已经没了踪影。

她慢慢跑到树林一侧的河边，夏顺开再次出现在她前方。他仍然在不减速地奔跑，经过慧芳面前，笑叫了一声：“巧啊！”再次消逝在她身后的树丛。

慧芳已经累得坚持不住了，便停下来，两手叉腰慢慢往前走。夏顺开又一次跑着经过她面前，“接着跑啊！”

慧芳笑道：“跑不动了。”

慧芳在小树林边的凉亭内坐下，看着夏顺开一次又一次地飞跑着从她面前经过，越跑越带劲儿，似乎永不疲倦，似乎脚上安装了弹簧。无端地，他的活力和冲劲儿感染了慧芳，使她变得兴致勃勃。她朝夏顺开大叫：

“你怎么跟牲口似的？”

夏顺开真的像匹刚犁完地的牲口，热气腾腾，鼻息咻咻地来到慧芳身边，他身上浓烈的汗味儿使慧芳闻上去莫名感到一阵骚动和心痒，但是感觉舒服。

她有意往一旁挪了挪身子，扇扇风：“真冲鼻子。”

“你每天早晨都来跑步吗？”夏顺开问。

“第一次。”慧芳道，又啧叹，“你可真能跑。”

“我说怎么没见过你呢。”

“你每天都来跑？”

“也不是。我常年在外，这次回来休假。这房子也是我们单位刚分的我，过去没家都。”

“怪不得，我们也是刚搬来没多久。”

“什么时候到我家玩去呀？我就住那楼，三门五层。又住街坊了。”

“行啊，我家就在你家后面那楼，有空儿过来。”

“嗬，腿上还绑着沙袋呢。”夏顺开弯腰用手捏了捏慧芳腿上的沙袋，“要拿奥林匹克冠军啊？”

“不是，我前一阵腿出了点毛病，肌肉萎缩，医嘱让我加强锻炼。”

“怎么搞的？”夏顺开诧怪地盯着慧芳，皱皱眉头，“你这些年怎么过得这么惨？不该呀。”

慧芳掉开眼睛，她受不了夏顺开眼中的那份真诚，嘴还硬：“怎么惨了？我觉得我过得挺好。”

“得了吧，别以为我不知道，别的同学都说了。”

“说什么了？他们说我什么了？”慧芳关心地问。

“甭管说什么了，你这样一看就是混得不怎么的还用人说？”

“讨厌！有些人就是爱没事议论别人。我混得好坏碍着他们什么了？”

“关心你。”

“不用人关心。”

“你呀，嗯，我太了解你了。”

“你了解我什么？”

“强努！甭管怎么着非强撑着，假装特坚强什么都经得住。其实呢？非得跟铁打似的才算好样儿的？也不知你妈怎么教育的你——你以为这是优点哪？”

“你少说我妈！”

“我就要说，赶明儿见了她我还要当面批评她。把个闺女培养成这样还以为自己的福气呢，自私！就为听别人两句夸，打算立牌坊啊？”

“别胡说八道啊。”慧芳怫然变色，“你怎么还是这么爱胡说八道？”

夏顺开坦然道：“我不怕你生气，你生气我也得说。你以为别人都爱戴你呢？老实说，我头一见你，就觉得你特可怜！”

“我不用别人爱戴也不用别人可怜！”慧芳气急败坏，拔腿便走。

“瞧见没有，瞧见没有，”夏顺开指着慧芳笑道，“这就叫强努！听不得一点批评建议。”

七

“你不要再讲了，事儿可以替你办，但是非必须分清。”

夏顺开一本正经地对女儿和刘小芳讲：

“我这么做是极端错误的，是助长你自由散漫、无故旷课的行为，下不为例——假条上怎么写？”

他坐下来，拿起一支笔和一本便条笺。

“您就写我今天头疼，不舒服，请半天假。”夏小雨说。

“不好，骗不过去，一听就是假的，而且老师还会向你要医生假条。”

"那就说，我姥姥来看我了，从外地来。"

"也不好，理由不充分。这么写吧，就说我病了，高烧四十度，需要你在家照看。对，我写的时候手还应该颤抖，字写得歪一些。"

小芳对小雨说："你爸爸太可爱了。不像我那俩妈，一个比一个正经。"

夏顺开忙道："小芳你可千万不能这么想，这么想就算我把你害了。我这么干是很没原则的，应该受到谴责的。正确的是你妈的态度。应该正经点。我是太不正经了。"

"您别害怕呀夏叔叔。"小芳笑。

"当然要怕，这是耽误下一代呀。"夏顺开十分严肃，控诉女儿，"这可都是你逼得我犯错误。"

夏小雨笑，接过假条揣兜里："最后一次。"

夏顺开嘟嘟哝哝地抱怨："多少个最后一次了？我的晚节是毁在你手里了。"又叮嘱，"假条开了，功课不许耽误，误了功课那以后可什么都没有了。"

小雨笑道："保证不会。"

"瘦竹的诗有什么好的，把你们迷成这样？我用脚指头也能写出比这好的。"

八

慧芳正在屋里生闷气，听到外面门铃响。接着听到刘大妈和夏顺开说话。

"您找谁呀？"

"这是刘慧芳家吗？"

"是啊，您是哪位？"

慧芳忙坐起来，理理鬓发，朝镜子看了一眼自己，这时，夏顺开已经笑嘻嘻地掀帘进来了。

“干吗哪，沈努西？”

慧芳愣了一下，接着明白过来。又好气又好笑：“少给我起外号。”

“这是谁呀？”刘大妈在一边纳闷问慧芳。

“就是过去咱胡同那个‘顺子’‘顺子’的，跟我同学。他妈姓黄，您老说惹不起那家。”

“噢，就是那帮坏孩子头儿。”刘大妈拍掌大笑，“顺子，长这么体面了，难怪大妈不敢认。”

夏顺开笑道：“大妈，又给您添堵来了。您老身子骨可好？”

“好好。”刘大妈见着老街坊，十二分地高兴，“想起来了，你那会儿可真没少招我生气，我们家房都叫你踩塌过，现在不那么淘了吧？”

“不啦，早改邪归正了。”

“你妈身体可好？”

“前年就过世了，我爸也不在了。”

“唉，打搬到这楼房，老街坊们就难得一见喽，快，真快，一晃就都老了。在一块堆儿呢，短不了吵个架生个气伍的，真吵不成骂不成还怪想的。”

“妈，您怎么说着说着就抹开泪了？”慧芳道，“也不怕人笑话？”

“谁笑话？顺子能笑话他大妈吗？”刘大妈点头咂嘴地对慧芳道，“我们那也是一辈子啊！”

“大妈，您别嫌闷得慌。”夏顺开道，“我不是搬到你间壁住了吗？赶明儿您想吵架——找我。”

一句话把刘大妈呕笑了："瞧你说的，大妈是那乌眼鸡吗？就不能客客气气地坐一堆儿说闲话儿了？"

"也成，往后凡我听到什么新鲜事儿都来跟您学。"

"就那么一说吧，你不工作了，净陪我老婆子逗闷子了？"刘大妈转念又道，"有些年不见了，你们怎么又勾上了？"

夏顺开看了眼慧芳笑："也就是最近的事，无意当中，一见面——亲！"

慧芳白了夏顺开一眼，红了下脸。

刘大妈笑："这顺子现在也会说可人疼的话了，小时候可净招人烦了。"

慧芳："这算什么可人疼的话？肉麻！"

刘大妈："顺子，干什么工作呢？瞅你这黑，敢不是送煤的？大妈那些年可没少替你揪心，怕公安局收了你——不是大刑刚上来吧？"

"叫您说的大妈，我有那么坏吗？"

慧芳也笑："可知道自己给群众留下什么印象了吧？"

夏顺开："我现在石油部门工作。"

刘大妈："怎么没把你媳妇带来？"

夏顺开吟哦："哦……"

刘大妈："还没搞上？"

"哦不，搞上了，又给搞丢了。"夏顺开干笑。

"也离了？"刘大妈跌足叹道，"你们怎么都一码齐地离了？这事儿别比学赶帮超啊。"又急忙问，"谁离的谁？"

"她离的我。"夏顺开为前妻辩解，"我那工作流动性大，一年到头不着家，也不怪她。"

"唉，"刘大妈瞅女儿一眼，"慧芳也是先离的她爷们儿，现在都兴女的甩男的了。”

慧芳脸上挂不住了：“妈，您别老把我这事挂嘴边上，也不是一回事，光彩怎么着？”

“好好，我不说了，你们聊，你们聊。”刘大妈退出屋，“顺子，中午在大妈这儿吃饭。”

“大妈您别张罗，我一会儿得回去，家里还有孩子呢。”

刘大妈走了，剩下夏顺开和慧芳两个人，慧芳不自然地朝夏顺开笑笑：

“你坐吧，要喝水吗？”

“倒一杯吧，什么都别放，就白开水。”

夏顺开在慧芳房间四处巡看，按了两下慧芳的打字机。慧芳倒了杯热开水放在桌上。

“你现在就靠这个挣点小钱？”

“对。”

“这也不是事儿啊。”

“也没什么不可以。”慧芳看了眼夏顺开，笑了，“你又想说我强努。”

“不。”夏顺开摇摇头，“问题是社会受损失呀，像你这么杰出的人，应该对社会有更大的贡献，现在，嗯，到处求贤若渴……”

“你别拿我开心了，我算什么杰出？家庭妇女一个。”慧芳说到这里，黯然神伤。

“不行，我不能看你这样——这么颓废！”

“不这样又能怎么样呢？”

“我们单位有不少离了婚的优秀人才，原装的也有……”

“你怎么说着说着又不正经了？”

“你别自卑。”

“我不自卑！”慧芳来了气，“这和自尊自卑两码事，我用不着你来做大媒，管好你自个儿吧。”

夏顺开盯着慧芳研究着她：“你是不是觉得和我谈这事有点不好意思？”

慧芳一扭脸不理他。

“这有什么不好意思的，都这么大人了。慧芳，不是我批评你，你这人虚荣心太强，在班上你就盛气凌人，只许你帮助别人，不许别人帮助你……”

“又来了又来了。”慧芳腻歪地说，“你不分析我就没事干了？”

“我有责任呀！”夏顺开诚恳地摊开双手，“咱们是老同学，我不管谁管？”

慧芳逗乐了：“你算哪庙的和尚？”

夏顺开也笑了：“是不是嘛，姑娘大了，跟妈好些话也没法说了，孩子又小，更没法说这个。你缺个知心人，慧芳。你瞧我好容易有一空儿，在京休假，平时忙也顾不上你——你就拿我当一知心人儿吧。”

“再没见过你这么毛遂自荐的，你可知当人家知心人要负多大责任，你就敢当？”

慧芳说着发觉这话有些暧昧，不觉羞红了脸。

夏顺开倒仍是诚恳坦荡的样子：“肯定是下了决心才来的，明知山有虎，偏向虎山行。不入虎穴……”

自己也发觉造次了，吞回了后半句话。片刻，再复慷慨：“你的事我管定了，谁叫我碰上了呢。说吧，喜欢什么样儿的？全中国的优良男子都在我口袋里装着。”

“你是不是开着一良种站呢？”

夏顺开被慧芳逗得哈哈笑个不停，指着她道：“你现在也会开玩笑了。”

“什么叫现在也会？不是你说说，我过去怎么啦？叫你说的我过去好像都不是人了。”

“你还别不服。”夏顺开望着慧芳道，“你过去还真是，怎么说呢？假模三道的，跟墙上贴那三好学生宣传画似的。”

“我不承认我假。”慧芳道，“我过去和我现在一样，怎么想的就怎么做，才没表里不一呢。”

“得了吧，你问问咱们那些同学，谁不说你假？中学五年你交了几个知心朋友？连徐月娟都觉得和你总隔着一层。”

“那人家就是这性格。”

“这性格就不行！在这个时代就不允许！冷若冰霜，道貌岸然，既不会去爱别人也不允许别人爱自己，把自己打扮成一个受难者牺牲者的形象沾沾自喜——没人需要你这个样子！”

“胡说！诬蔑！我根本不是你说的这种人！”慧芳气哭了，又辩不出个情由，只是一个劲说，“自己恨谁没靶子，就来诬赖别人。谁都这么说我，你也来说我。用得着你说吗？你算干吗的？”

刘大妈听见屋里动静大了，忙跑进来：“这是怎么话说的？刚才还有说有笑的，怎么冷不丁吵起来了？慧芳，顺子是客，可不能这么丧声丧气地对人家。”

慧芳已在一刹那收了脸上的泪，强笑着对妈说，“哪吵了，好好的，就是说话声高了点。”

夏顺开也说：“没吵，开玩笑呢，大妈您忙您的。”

“不兴拌嘴啊。”大妈叮嘱二人，“有什么话好好说，多少年不见了，也都是拖儿带女的人了。”

刘大妈走后，二人一时无语。片刻，夏顺开笑说：

“还真急了？想不到你也有脾气了。”

“本来嘛。”慧芳嗔怪道，“你说得那么难听，是人话吗？”

“说错了没有？”

“错了。”

“刚才你还假呢。明明吵嘴哭了，大妈一进来，又装没事人。都不知道你什么时候擦的泪，那熟练那专业。”

“你呢，早起口口声声要来批评我妈，真见了我妈，一口一个‘大妈’，那肉麻——你不假？”

“对对，我也假，我见什么人说什么话。”

“还是的。”

“可我假我承认，你呢？”

“我……”慧芳一时语塞，旋即转眸一笑，“我没你那么厚脸皮。”

夏顺开笑道：“其实，我要不拿你当知心人，我也不那么直截了当，犯得上吗？比你自我感觉还好的人多了，我说一句没有？”

“合着我还得领你情……”一语未了，慧芳发觉这话越说越近乎调情，眼神也近乎抛媚眼，忙正经起来，严肃起来。

“说真的，你要帮我，就帮我找个正经工作吧。我也不喜欢我现在这样儿。我觉得我这样可能跟我这么些年不上班老窝在家里有关系。老一人待着也拿不准人前该是个什么架势了……你听我说呢吗？一动真的就没词儿了。”

夏顺开抬头笑：“不是。我是在琢磨，刚才咱俩吵架，大妈进来劝，我怎么觉得从前有过这么一次。好像是在你家做作业，咱们吵起来了，大妈进来劝，跟今天一模一样，话也说得差不多。”

“何止一次。”慧芳低头说。

慧芳送夏顺开出门，正遇上小芳跑得满脸通红，鬼鬼祟祟地进门。小芳一见夏顺开吃了一惊：

“夏叔叔。”

夏顺开也大为惊诧，转头问慧芳 ：“这是你孩子？”

中午吃饭时，刘大妈对慧芳道：“慧芳，你挺能让人的，怎么就跟这顺子这么厉害？”

“没有啊，”慧芳佯作无知，“我怎么跟他厉害了？”

“你当妈真老糊涂了？”

“妈，我在家碍着您什么了？您也不能捡到篮里就当菜。”

九

“认识你，真好！”夏顺开拿腔拿调地举着瘦竹的诗集，念扉页上的赠言，念完哈哈大笑。

夏小雨一把从爸爸手中夺过诗集：“不许嘲笑人家真诚的感情。”

“假条给老师了吗？”

“没有。”

“为什么？”

“小芳没假条，我不能让她一人旷课挨斥，所以也把假条撕了。”

“那我不是白写了？”夏顺开瞅瞅女儿，“不过也难得你小小年纪如此侠义。”

“可这是错误的对不对爸爸？是无原则的一团和气。”

“对对。”夏顺开笑道，“犯错误不怕，重要的是认识错误。”接着又替女儿发愁，“可老师这关你怎么过呢？”

“人太一帆风顺了不好，这不是您常说的？从小就应该多经历一些。”

“倒是，在哪儿也不能太得宠，多犯点小病没大病。这话也就是咱们关起门来讲，出去还得一本正经的，否则别人该说我毒害你了。”

“放心，我不会把你说出去的，你当着老师尽可以对我作义愤填膺状。”

“你这么说好像我们合谋起来串通一气……”

“得了，爸爸，你在我面前就别装了。”

“噢，对了。”夏顺开兴高采烈地说，“我今儿才知道小芳的妈是谁，你猜我们什么关系？”

“什么关系？”夏小雨狐疑地望着父亲，“你还风流过？”

“你别往邪处想。我们是老同学，从小学到中学都是一个班的。”

“是吗？你们可不像一个老师教出来的。”

“你见过她妈？”

“太见过了。”

“什么评价？”

“好人，可是无用。”

“小时候她一直是我们班的团支书——从打有了团。”

“你呢？”

“惭愧，淘气大王。”

夏小雨嘻嘻笑：“就知道你是这么个出身。”

夏顺开站起来，走到穿衣镜前打量自己：“哎，小雨，你觉得你爸还行吧？”

“哪方面？”

“各方面，我是说往人前一戳。”

“嗯，”夏小雨点头评论道，“拿得出手。”

十

晚上，夏顺开和女儿一起唱卡拉OK。他拿着话筒摇头晃脑、五音不全地唱：

“我的未来不是梦，我真诚地过每一分钟……”

夏小雨在一边抢话筒：“该我唱了，你霸了多长时间话筒了？”

“唱完这曲的。”夏顺开声嘶力竭地吼唱，“我的心跟着希望在走！……”

这时，刘小芳面带泪痕笃笃敲门进来，进来就和夏小雨嘀嘀咕咕说话。

夏顺开扭头问：“事儿发了？”

夏小雨说：“老师找小芳她妈了。她妈打她了。”

“不像话，怎么能打孩子？回头我教育她。”

夏小雨道：“小芳今晚想在咱家住一夜，不回去了。行吗爸爸？”

“这不好吧？她妈还不会找来？最好还得说一声，要不急也急死了。”

“她妈不认识咱们家，该让她急一急，怎么知道动手打人？”夏小雨为朋友愤愤不平。

刘小芳恳切地望着夏顺开：“让我住一夜吧夏叔叔。”

夏顺开想了想，道：“行，你们趁今晚好好串串供，明天去跟老师解释。”

话音未落，又传来敲门声。

夏顺开：“谁这么晚还来串门？”

“别是我妈。”刘小芳脸都吓白了。

“快藏里屋去。”夏顺开让两个女孩子躲起来，自个儿去开门。

门开处，果然是慧芳一脸盛气站在门外。

“我女儿是不是在你家？”

“是。”夏顺开当即认账，掉脸对里屋喊：“出来吧你们。”

夏小雨伴小芳从里屋出来，脸气得通红，盯着爸爸恶狠狠地咬牙道：“叛徒！”

“我不能撒谎呀，万一她搜呢？”夏顺开对女孩子们解释。

“小芳，回家去！”慧芳冷冷地命令女儿。

“回去吧小芳。”夏顺开帮着动员，“事情已经这样，重要的是争取一个好的态度，说清楚就行了。你妈不会再打你了对不对慧芳？”

“夏顺开！”慧芳气得脸色发白，“回头我再跟你算账！”

“有我什么事？”夏顺开委屈地摊开双手，“我一直在从中做工作。”

“你在这里到底起了什么作用你自己心里清楚。”

“我起了什么作用？你问问孩子们我起了什么作用？”夏顺开对女孩子们作笑脸。

夏小雨喊了一声，别过脸不看他。

“得，两头不是人。”

“那好，我就当着孩子在场问你。”慧芳进门拣了把椅子坐下，“刘小芳和夏小雨上午逃学你知不知道？”

“知道，两个孩子一回来就向我承认了错误。”

“我是问你事先知道不知道？”

“……有所耳闻。是的，我知道，我认为孩子们的理由尽管不充分，实际上我也表示反对，但发现她们决心已定……”

“夏顺开，你就是这么教育孩子的？明知道孩子们准备逃学，不但不予制止，还包庇她们。今天上午我见过你两次，你只字未提。”

“那时候我还不知道小芳是你的孩子呢。”

“别人的孩子就可以放任不管吗？别忘了这里还有你自己的孩子。什么理由不充分？逃学根本没理由！你想让你的孩子成为什么样的人？你这样做父亲的，真让我难以置信。”

“是的，我知道我错了，刚干就知道错了，后悔莫及。”

“认错倒是很痛快，可危害已经造成了。不客气地讲，说你是教唆犯也不为过。”

“我劝过她们，她们不听。”

“不听就算了？谁是大人谁是孩子？倒让孩子牵着你走。”

“我爸爸是劝过我们，是我们一意孤行。”夏小雨挺身而出，替父亲伸张。

“两码事，你不要替他开脱。”慧芳道，“我很了解你这位爸爸。倒不是你们这件事有多严重，而是他这种做法骇人听闻。你对自己不负责不能对孩子也不负责。”

“我怎么对自己不负责了？刘慧芳你把话说清楚。”

“看看你的一贯表现，你自己上学时就总爱逃学，发展到今天也不奇怪。”

“请你不要用教训的口吻对我说话，你以为你还是团支书呢？”

“我就是那会儿教训的你少了。我倒没觉得自己是团支书，就是没想到你还是过去那个后进生。”

“我认为，学校的课不是每节课都必须上的，有些社会活动相形之下更能使学生长见识。学校组织得少，自己就应该有意识地抽出时间……”

“说出来了吧，你终于暴露了你思想深处的真实观点。”

“作为一个共产党员，我从不隐瞒自己的观点。”

“啊哈，天大的笑话，你是共产党员？”

“这有什么可大惊小怪的？我还是个有十五年党龄的老党员。可惜我们党不发党证，没法给你看。”

“胡扯，不许你侮辱党！”

“你这种态度才是侮辱党，你正在侮辱一个党员。”

“如果你是个党员，你这种做法更可鄙。”

“这和我信仰共产主义，贯彻党的路线方针毫不冲突。作为党员，我是个好党员。作为父亲，我可能有缺陷——我不许你把这二者混为一谈！这正是很多人借此攻击我们党的惯用伎俩！”

小芳：“妈，别吵了，你们都扯到哪儿去了？”

慧芳：“是扯远了，我都气糊涂了，刚才说到哪儿了？”

夏顺开：“小雨，给刘阿姨倒杯水，消消气。”

刘慧芳：“那么你坚持你没错了？”

夏顺开：“不，我承认我有错，在对待小芳她们逃学的问题上我犯了知情不举的错误。逃学自然不对，但是慧芳，你不要把这看做是品质问题。”

“逃学就是品质问题！”

“这么说严重了，也与事实不符。我小时候爱逃学吧？可这并没有妨碍我今天成为一个正直的人，一个对社会有用的人。慧芳，不要用学校老师那种因循守旧的眼光看人。高波上学时是个好学生吧？最后堕落成一个杀人犯。和学校奉行推崇的那套价值观相违，并不意味着将来长大就一定会成为社会的敌对者。”

“我真替你担心，替你的女儿担心。”

十一

“不像话！这个夏顺开是个什么人？”王亚茹问慧芳。

“一米八几的一个男的。”

“我不是问你这个，我是问你他平时在单位表现怎么样？”

“不知道，这我怎么会知道？”

“从他说的这些话、干的这些事看，我认为这个人有问题，不是没头脑就是玩世不恭。”

慧芳低头不语。

“你怎么有这么个同学？也是，你们那个胡同中学能培养出什么好学生？噢，对不起慧芳，我不是指你。居然有这样的家长，对孩子竟采取这样纵容、怂恿的态度，青少年犯罪率高也是可以理解的。”

“他倒也不见得就是想教孩子学坏，也许是不会管孩子。”

“还要怎么会管？逃学是明显的不能容忍的行为，他怎么还能漠然置之？我相信他也不会是个勤勤恳恳工作有作为的人。他能纵容自己孩子逃学，自己也一定是个吊儿郎当、把工作视为儿戏的人，品质恶劣！”

“这个，我们不能这么没根据地说人家吧？他看上去不是你说的那种人。还是挺诚实的。”

“看人不能看表面。”

慧芳微笑，不愿指出亚茹的自相矛盾。

亚茹也发现了这点：“怎么，你对他还挺有好感的？”

“没有没有。”慧芳连忙否认。

亚茹道：“不管怎么说，这种人还是离他远点。孩子是单纯的，很容易就受到一些不良影响，她们不会分辨是非，还是要以正面教育为主——特别是女孩子。”

十二

慧芳远远地看见夏顺开，朝阳迎面射来的光芒使她看不清夏顺开的脸，但她估计他也一定看见了她。

慧芳活动了一下身体，扎紧沙袋，没沿着往日的路线，在小树林另一侧的一条林荫道上慢慢跑了起来。

跑了一会儿，她眼角的余光注意到夏顺开愈跑愈近，她加快了步伐，但夏顺开还是很快追上了她，和她并肩跑着。

“不理人了？”

慧芳倏转身，掉头往回跑，夏顺开敏捷地又跟了上来，边跑边歪头看慧芳脸色。

“还真生气了？至于吗？”

“没你这样儿的。”慧芳白他一眼，“这事没完，回头还得跟你辩论。”

夏顺开笑呵呵的：“不用辩论了，我认输。我昨晚仔细想了想，你是对的。”

“昨晚是不是无理狡辩？”

“是。其实我一开始已经认错了。只不过你不依不饶，激起了我辩论的勇气。”

“你那叫认错呀？气势汹汹，能把谁吃了。”

“这怪我身上这气概，我一向具有这种气概，藐视一切敌人并不被一切敌人所压制——一到关键时刻就本能而出。”

慧芳扑哧一笑：“又吹。谁是你敌人？”

“怪我怪我，没分清敌友。”

慧芳歪头笑：“光认了错，错在哪儿知道了吗？”

“同一个毛病，没分清对象。其实有些观点是正确的，只是不能过早灌输给孩子。孩子的自觉性差，用纪律约束是必要的。不在少上几节课，主要的是让她们养成遵守秩序的习惯——认识深刻吧？”

慧芳笑：“还不是不可救药，还是挺聪明的嘛。”

他们跑到林荫道尽头，没有掉头回来，又沿着小树林的旧路线跑起大圈。

“我这人缺点很多，知错就改便是其中之一。”

“说你胖你就喘。跟谁学的，一刹那就把错误变成吹牛的资本？”

他们停了下来，沿着河边慢慢往回走，边走边谈，朝霞把他们身上罩了一层温情脉脉的光辉。

“我对我那女儿是太惯了，简直拿她一点办法没有。过去一直不在身边，又离了婚，总觉着欠她什么，她一哭一撒娇，我什么没原则的事都干得出来。”

“你心还挺软。”

“唉，舐犊情深，柔肠侠骨，硬是没的咒念。”

“瞧你那样还挺得意。顺子，我现在发觉你动不动就会自我欣赏，自我陶醉。”

“没有没有，心情很沉痛，又无计可施——那个是我长期在野外，自己不吹就没人吹留下的毛病。”

“可你这么惯下去，会惯坏她的。”

“我就是个一切都明白实在做不到的典型。”

“孩子还是应该有个妈的。”

“太对了，家事如国事，必须有一个唱红脸的，一个唱白脸的，清一色很多话不好说。”

“为什么不找一个呢？如果你真像你说的那么优秀。”

慧芳非常恨自己，怎么一跟夏顺开说话就不知不觉地带出不正经、挑逗的味道？她把自己的表情放庄重了些。

“这能找吗？”夏顺开的话倒是掷地有声，“我一直等着哪天被一发冷枪击中呢！”

慧芳凝眸不语，似在遐思。

夏顺开又道：“实在没机会，只好不得已求其次，找个贤妻良母算了。”

他望着慧芳微笑，那微笑衬着阳光显得既古怪又灿烂。

慧芳不觉心惊肉跳。

夏小雨放学回来，一进门就伏在桌上呜呜地哭。

夏顺开慌了神，围着女儿团团转，连声问：“怎么啦？怎么啦？我的小姑奶奶，别光哭不说话呀，要写检查爸爸替你写。”

夏小雨哭了半天，才抬起满是泪水的脸，泣噎难禁地道：“小芳她妈不让她上咱家玩了。”

“她不让上咱家，那咱们上她家去。”

十三

刘大妈家这天格外热闹，小芳年满15周岁，亚茹和沪生都来团聚，国强也专程赶了回来。桌上的奶油蛋糕堆了三盒。大家都喜气洋洋，唯独小芳闷闷不乐。

慧芳安抚小芳：“你妈也是为你好，怕你受不好的影响。”

“凭什么就说我要受人家影响？我就不能影响她？”

“现在看来你就是受了人家的影响一点没能影响别人。”亚茹对慧芳道，“别理她，不能什么事都依着她——你冲谁翻白眼？”

刘大妈在一边和国强嘀咕，国强高声道：

“噢，就那顺子呀，我记得他。他小时候净揍我，我练足了块儿准备收拾他，又找不着他了。姐，他现在还那样儿吗？”

“规矩多了。”慧芳道。

国强笑：“我真想象不出顺子规矩起来是什么样。”

“就是电影上那种恢复了地位的右派的模样。”随着一声回答，夏顺开领着夏小雨笑哈哈地出现在刘家门口。

“顺哥。”国强笑着迎上去，二人又拍肩又握手，称兄道弟，亲热得一塌糊涂。

“顺哥还真有点知识分子派头了——西服板寸！”

“来，咱俩掰一手腕子。”夏顺开捋袖举掌。

国强忙推辞：“不敢领教，一握手就试出手劲儿了。”

夏顺开和在座的人逐一握手，自我介绍：

“夏顺开……嗯，大姑姐，大姑舅。”

亚茹和沪生客气地和他握手。夏顺开又装腔作势地去握慧芳的手。

慧芳：“咱们就别来这套了。”

话虽这么说，手还是被夏顺开一把抄住，暗中用力一握，慧芳疼得一皱眉头。

“这是小女。”他又为大家介绍女儿，“叫叔叔阿姨。”

夏小雨乖巧地挨个叫了一遍。小芳见到小雨，早欢天喜地地上前拉住了她的手，领到自己房间说悄悄话去了。

“见过见过。”刘大妈道，“这是你的女儿啊，怪不得瞅着眉眼儿像谁呢。”

“美人坯子吧？咱这女儿谁见了谁得说会生，全部继承的是父母的优点甚至父母没有的她也长出来了。操心！不比你们小芳可以大松心。”

慧芳道：“吹不够自己又吹女儿。”

刘大妈也不干了：“我们小芳怎么可以大松心了？不比谁寒碜。搁古代，没准儿还先一步被抢进宫里呢。”

慧芳：“妈，咱不跟他比这个。”

亚茹和护生交换了一下眼神，沪生毫无表示，亚茹眼中似露不屑。

“今儿我来是专门向你们提意见来的。”夏顺开认真地对慧芳说，“别孤立我们小雨呀，孩子嘛，心灵和友谊都是纯洁的，这会儿就分等，伤心哪。你不让小芳和小雨玩，我们小雨回去都哭成泪人了。”

一席话说得在座的几位都挺尴尬。

慧芳红着脸说：“没有，没有……”

夏顺开又道：“孩子有缺点，批评、教育，都行，别早早地就用阶级观点划分开。老实说慧芳，我都不相信你能干出这事儿，损点吧？过去我那么坏，你还一个劲儿接近我帮助我呢。”

慧芳已是难堪，后又被逗笑，红着脸光笑：“不是那意思。”她实在不便说这是亚茹的意思。

亚茹忍不住了，道：“我们不是针对孩子……”

夏顺开：“那就是针对我了？那你们应该不许小芳和我玩。”

王沪生在一旁不禁一笑。

亚茹：“我们不是针对任何人。这件事的发生我们确实很生气……”

慧芳在一边解释："大姐是小芳的亲妈。"

"噢，噢。"夏顺开"噢"了半天，也不见得是真明白了这其中的复杂关系，"我知道你们很生气，这件事我也很抱歉。但慧芳是了解我这人的。对吧慧芳？我还是一好人吧？你连这句话都不敢说，你太不够意思了。"

国强笑道："我替我姐说吧，你还不能算一坏人。"

亚茹："我说过，我们并未针对任何人。既然这事发生了，我们当然要采取一些措施，这也是正当的。"

"大姑姐——我该怎么称呼她呀？还是叫您王同志吧。王同志，您是一大夫是吧？我一进门闻见您身上的来苏水味儿就猜出来了。您是一大夫，应该知道病人上呼吸道感染，采取任何治疗措施也不能包括不让病人呼吸。"

"如果是传染病就要进行隔离。"

"您听说过现在对精神病患者都不提倡与社会隔离？"

"那要看病情程度和类型。"

"我觉得我这得算人民内部矛盾吧？不能说我是在演变小芳吧？"

大家笑。

慧芳："谁也没把你说成那样，你自己也别上纲上线。"

夏顺开："充其量我算一健康带菌者。"

国强："隐性的隐性的，'澳抗'阳性。"

夏顺开："王同志，咱不能要求人十全十美吧？你得允许我偶一失足吧？"

亚茹也笑了："当然允许。不过你已然这么大岁数了，有些毛病是不是就不该犯了？譬如一个大人再得小儿麻疹就有些奇怪了吧？"

大家哄堂大笑。

夏顺开也不免有些不好意思:“大姐，您这句话真把我说臊了，确实不应该。咱不犯了成不成？得过一次，永久免疫。”

亚茹笑道:“夏同志，我真没有难为你的意思，你不必一个劲儿对我检讨。”

沪生插话:“我看这件事就过去了好不好？黑不提白不提，老说也没意思了。”

夏顺开立即向王沪生伸出一只手，热情地握了握:“说得好！再问一句，您贵姓？”

大家又笑。

沪生道:“免贵姓王，和大姑姐一家子。”

慧芳:“我的前夫。”

夏顺开:“噢，再一次紧握您的手，感谢您和慧芳离了婚。”

大家又笑。

亚茹:“什么话？”

夏小雨听到外屋笑声不断，探出头道:“爸，您又出什么洋相呢？”

这时，刘大妈端出两盘凉拌菜，嚷:“帮我把桌子清理出来。”

夏顺开忙起身接过大妈手中的菜，嗔怪大妈:“您瞧您，事儿说开了不就完了？我也已经谅解了，还备这么些菜赔罪干吗我多过意不去？”

刘大妈笑道:“别花舌哨马的，谁是为你呀？算你赶上了，今儿是我们小芳生日。”

夏顺开:“哟，早说呀，我也随份礼——姑娘今儿是几周年呀？”

慧芳:“十五了。”

夏顺开:“这可是一坎儿。小芳，以后多留神，法律可不重点保护你了。”

众人又笑。

亚茹笑叹：“这人这嘴，真闹得慌。”

小芳在里屋也没听清夏顺开说的什么，脆生生地答了一声：“欸。”

夏顺开：“我们小雨下月生日，一起过了吧，省得还得闹你们。”

国强：“顺哥，记得你过去不这样儿，现在怎么改活宝了？”

“常年在野外流窜，都是帮老爷们儿，总得有一两个当小丑的，给大家找点乐儿。”

沪生：“听说你是搞石油钻探的？”

“什么都干，找油，找矿，强项是制止井喷，油田灭火。不可多得的人才呀！全面！聪明！有时我都佩服自己，怎么就这么能干——哥哥是真聪明！”

夏顺开抚胸摇头，赞叹不已。

慧芳对亚茹说：“这人就是好吹。”

亚茹：“科威特大火没找你？”

夏顺开一昂首：“找了，国务院领导亲点我参加灭火队……你瞧大姐，您这一笑，我就知道您不信，你这就不好了，以貌取人。您以为谁坐在你面前呢？正经是咱们国家著名的灭火专家，别稀里马哈的。集邮不集？回头我给您寄几张科威特邮票。”

刘大妈端菜出来插话：“这我信，顺子从小就好玩火，你忘了那年还烧过咱胡同一个自行车棚子，救火车几百年没去过咱胡同那次去了一批。”

大家笑。

夏顺开：“大妈，还是您懂辩证法。”

亚茹：“听说咱们国家在塔里木盆地又发现一个大油田？”

“对，那就是我发现的，嘿嘿，这么说过了，是我们大家发现的，我也参加了论证。”

夏顺开严肃起来：“你们可不知道这个油田的发现对我们国家有多重要的意义。我这么说吧，直到下个世纪中叶，我们国家的能源不用发愁了。”

沪生：“听说是一个很大的油田。”

夏顺开：“油海！有贝加尔湖那么大一个油海。初步探明储量就相当于沙特、阿联酋、科威特等国的石油储量总和。这是个什么概念？这是几千亿美元啊！而且，油质好，不用提炼，直接灌进汽车油箱就能跑。地层构造简单，可以高密度开采。看过电视里的海湾国家油田吧？油井分布多密？鳞次栉比，这会大大降低开采成本。懂我说的意思吗？就好比从河里抽水，不用一口井干了，再打另一口井。”

众人一起点头：“懂，懂。”

“让那些悲观的经济学家们见鬼去吧！让他们去说我们这也不行那也不行去吧！让那几千个亏损严重的中小企业破产去吧！只要有了这个油田，我们的国民经济稳稳地每年提升几个百分点，本世纪末下世纪初稳稳地达到小康水平。”

夏顺开说得眉飞色舞，眼中冒出狂热、亢奋的目光。

“你们干好干坏都是瞎扯，无所谓，只要我们较劲，这个国家就垮不了。不承认石油工业是国家的命脉和支柱是不成的。我说的那几千亿美元还是指原油价格，要是变成化工产品呢？国强，你还倒什么劲呀？”

大家笑。

慧芳：“说着说着就贬低起别人来了。”

厨房传来鱼下油锅的嗞啦声。夏顺开一个箭步蹿进厨房。

“大妈，鱼我做，您别做坏了。”

“瞧你能的，大妈鱼都不会做了？”

“这您还别跟我致气，我吃过的鱼您都没见过。全国哪个湖里的鱼没进过我肚子？”

亚茹对慧芳议论夏顺开：“这个人还不像个草包。”

慧芳笑了：“大姐，您好话也不会好说。”

亚茹也笑：“这是我对一个人最高的评价了。”

沪生：“这种人倒是到哪儿都讨人喜欢。”

亚茹：“就是别那么吹，太吹了也。国强，按你们的说法，他得算侃爷了吧？”

国强笑：“得算。”

夏顺开头戴白帽，身穿白大褂，系了条刘大妈的花围裙从满是油烟的厨房里钻出来。

大家一看他又都笑了。

亚茹：“你还真是多面手。”

夏顺开：“治大国若烹小鲜——容易！”

慧芳：“大姐，你就别招他了，咱们谁都别再给他吹的机会——干活去吧你！”

十四

慧芳房间。夏顺开仍戴着白帽子，对慧芳道：

“我给几个同学和我的一些朋友打了电话，让他们帮忙安排一下你的工作。大概劳资关系现在还不好转，要等有正式招工指标才能办，你可以先干着，以后再慢慢转，你的档案现在在哪儿？”

慧芳："在街道。其实我也知道一下都解决有困难，我的意思也是先找工作干着，不愿意老在家里待着。"

"你会外语吗？"

"不会。"

"计算机呢？能不能简单操作？"

"也不行。"

"哎呀，这可不太好办了。他们提供的工作多数是涉外和公关性质的。办公室职员也要求能简单操作计算机——你财会懂不懂？一知半解也行。"

"一窍不通。"

"那你觉得你能干什么？什么你更擅长一些，比较合适？"

慧芳眼睛瞅着脚尖，摇头："我就会打字。"

"合着你这些年除了当好人，别的什么有意义的工作也没干！"

慧芳眼圈红了："对，我就是一没用的人。"

夏顺开忙道："你别生气，我不是挖苦你。没关系，不会不要紧，咱们现学。你聪明，我都会了你还能学不会？只要肯学，都不用太用功。"

一句话把慧芳说得破涕为笑："我哪能和你比呀，你多聪明呀。"

夏顺开立刻冷了脸，手点着慧芳鼻子说："我最不爱听人说这种话。谁比谁傻多少？说这种话就是自甘堕落！这样吧，从今天起，你和我女儿一起学英语，我同时教你操作微机，我家里有一台普通型号的。我还有几天时间，这几天你到我家集训一下，然后我帮你联系个学习班。工作我再帮你跑一下，看有没有合适的文秘、资料员什么的。"

"顺子，我真怕我辜负了你的期望。"慧芳感动地望着夏顺开。

“不可能。”夏顺开微笑地望着慧芳，“我在我们单位开过不少班教青工。谁是不堪造就的谁是有出息的，我一眼就能看准——这次我看中了你。”

一干人紧紧挨挨地围着桌子团坐，桌上小碟架大盘，极尽普通百姓聚宴所能，也无非是鸡鸭鱼肉，时令蔬菜，各色啤酒、果酒和白酒。

国强：“难得啊，我是不是先敬顺哥一杯，换白酒，干喽！”

国强一仰脖儿，泪汪汪地把杯底亮给顺开。

“沪生呢？”夏顺开偏头问沪生。

沪生忙摆手：“我不行，胃溃疡。”

国强：“我可干了。”

慧芳：“随意吧，别一上来就干。”

“没事。”夏顺开笑吟吟地一口喝干杯中酒。

“吃菜吃菜。”亚茹忙给他二人夹菜。

国强：“这酒还行吧？”

夏顺开：“还行还行。”

国强：“那你可尽兴。”

夏顺开：“没问题，干！都端起来，为咱们姑娘，嗯，将来比咱们出息——干！”

大家随着他或尽饮或略呷，纷纷举起各色玻璃杯。

沪生端了杯啤酒站起来：“我确实是不能喝酒，这他们都知道。但老夏，咱们初次见面，我敬重你，咱们干一杯。”

夏顺开：“换白酒换白酒。”

沪生：“我确实是胃有病，要不我肯定白酒。”

夏顺开：“那这样，你一杯，我三杯。”

慧芳用肘捅夏顺开：“你别胡来了。”

“行！”沪生道，“白酒就白酒，国强给我斟上。”

沪生果然干了一杯白酒。夏顺开也毫不含糊地连干三杯。接着他便主动寻衅了。

“大姐，我敬你一杯，三杯对一杯。”

“慧芳，咱们得喝吧？老同学了，三杯对一杯。”

“国强，我沿着桌子喝一对角线，你喝一中心线。”

慧芳劝道：“你真成一酒葫芦了？”

夏顺开喝得是面如重枣，声若洪钟：“这算什么呀？曲酒，就跟水一样。我还喝过马粪蒸馏出的酒精呢。酒，对你们是开心，是凑趣儿。对我，那是情人加恩人，救过我的命的。”

沪生：“得，咱们又撞上他强项了。”

夏顺开斟满一大杯，双手过头举至刘大妈面前：“大妈我敬你一杯，你养了一个好儿子，好女儿啊！”

“俩女儿呢。”刘大妈笑着站起来，“不行不行，我不会喝。”

“瞧不起我？还记着我踩塌您家房的仇呢？”

“行了你顺子。”慧芳拉夏顺开胳膊，“跟我妈较什么劲？”

国强：“我替我妈喝这杯吧。”

“不行，这是敬老人的，你们怎么这么不懂规矩？我要是少数民族就跟你们急了。”

小芳抿嘴笑着悄问小雨：“你爸总这样？”

小雨：“沾酒就这德行。平时我总管着他，今儿你们算放虎出笼了。”

那边，夏顺开已经拱手昂头，有板有眼地拉开喉咙对刘大妈唱起了藏族敬酒歌：

吉祥的今天
美景良辰的今天
万事如意的今天
老少团聚的今天
三宝弘扬的今天
粮食丰收的今天
牛羊发展的今天
吉祥太阳升起的今天
吉祥月亮撒辉的今天
吉祥星星灿烂的今天
我老汉手端酒碗
献上几句真诚的祝愿
……

大家先还笑，后渐渐被他优美的歌喉所打动、所陶醉。他的嗓子苍凉、浑厚，虽然不够明亮、高亢，但自有其钝重的撞击力，又有其如河流淌如天低垂的绵绵不绝和一望无际。他唱的是藏语，那含义不清如珠滚动的音节和古老的带着岁月锈蚀痕迹的单调、悠长的曲调像咒语一般使人百感交集：痴惘、忧伤、欣慰和沉重感叹。

他自己也深深陶醉在这如诉如叹的歌声中，眼睛格外明亮，像是两面被灯光突然照得透明的窗户，可以一直看到他水晶般璀璨、纤尘无染的内心深处。

他的眼中有耀眼的泪光闪动，他似在凝望，又似在遐忆。他看到了什么？是浩瀚如海的沙漠还是肃杀无垠的冰雪大坂？是戈壁滩上的累累白骨还是荒野之夜孤独燃烧火苗如剑的油井大火？

慧芳脸上忽有泪水扑簌而下。

十五

楼群之间的路灯下，夏顺开一脸深沉，脚步坚定地笔直向前走，小雨和慧芳像两个马弁似的一左一右跟着他。

走着走着，夏顺开便走偏了路线，直眉瞪眼地冲路边的电线杆子去了，小雨或慧芳便忙一把将他拉回正确路线上。

夏顺开像粘了什么黏东西似的甩着手：“没事，我没事。”

房间的灯亮了，夏顺开在一片光明中微笑着，慈祥地沿着过道向房间走来，毫无征兆地如同被拦腿打了一棍扑通摔在地上。

慧芳和小雨忙跑上来，把他搀扶到沙发上。他翻过来时脸上仍浮着痴笑：“好酒，喝得痛快！”

慧芳：“小雨，你去沏杯酽茶。”

夏顺开忽然扒开慧芳跳起来便往厕所跑，接着听到他在厕所里牛吼般的呕吐声。

慧芳把顺开从雪白的马桶池边搀起来，顺开脸色惨白，但仍挂着笑容，像脑血栓愈后不良的病人蹒跚地往屋内挪步，同时不断向慧芳道歉：

“骚瑞，非常骚瑞，阿艾酒德不好，一喝就吐，让你们扫兴了。”

“你快坐下吧，别说了，喝口茶。”

夏顺开在慧芳手里喝了口茶，又说：“骚瑞，非常骚瑞，回去请向大妈、大婶、叔叔、阿姨们道歉，我搅了他们的生日宴会。”

“没有，你很好，你一直坚持到了家才倒下的。”

“请向他们道歉，娃他希哇抠抠搂泥[1]——我的心里十分不安。”

“闭会儿嘴不说好吗？小雨你拿块凉毛巾来。”

“窝特，维特……”

“什么？水？”

“耶斯。我吐了就没事了。”话音未落，夏顺开又跳起来直奔厕所。

片刻，他西子捧心似的愁眉苦脸回来，一屁股瘫坐在沙发上，大声喘气：

“这里，抠抠搂泥，烧得难受。”

“头晕吗？”

“啊，天旋地转，山河变色——地球转得太快了。”

慧芳又用凉毛巾给他擦了擦脸，小雨端来一个面盆和一瓷缸清水，让他漱了口。

“要不要躺下？”慧芳让开一块地方。

“不行，现在地球的重力对我很重要。慧芳，让你看到我这个样子，不是我所希望看到的。”

小雨抽出自己的手：“这是我的手。”

“噢，”夏顺开低头找了一遍，握住慧芳的手，“小雨，你去睡觉吧，明天还得上学。”

慧芳朝小雨眨眨眼：“去吧。”

“请向老人家道歉，请向所有在场的……人们——我太不像话了。”

“你别唠叨了。”

---

①日语。

“我可以握着你手吗？”

“你都已经攥出汗了。”

“骚瑞。”

“行了，别卖你那几句英语了，我不懂英语都听懂了。”

“我一喝多了，就口齿不清。这样，我要跟你谈一个问题，非常正式的，非常正式的，你听了特别不能忍受吧？”

“你还没说呢。”

“对了，我现在思路跳跃比较大。我认真想了想，思前虑后，反复比较，仔细权衡了一下利害得失，得出结论是：利大于弊！”

“什么呀到底是？”

“你听了不要过于激动，过于兴奋，你坐稳了。”

“是你倒下去了。”慧芳伸手把夏顺开扶正，“我不激动，你说吧。”

“我认真想了想，反复比较……”

“你就别从头再来一遍了。”

“我断定你和任何人都不合适，只有我，我能做你的丈夫。”夏顺开手扪胸口谦逊地低下头。

“你知道你在说什么吗？你别喝多了说胡话。”

“你不要急于答应，想好再回答，这是很严肃的事情。不是买东西，价钱合适，款式中意，质量不错，就掏钱买了。一定要有感觉了，情不自禁了，非他不可了，由不得你做主了，再……”

“夏顺开？”慧芳啪地甩开夏顺开的手，“你别灌了猫尿来了兴致，想借着酒劲儿调戏妇女。我不是那卖笑的轻浮女子，什么话都可以听——你少拿我开涮！”

“我不是那意思。”夏顺开又要去抓慧芳的手。

慧芳噌地站起来，脸变了色，凛然对他说：“请你放尊重点。”

慧芳掉头而去，把门“哐”地摔上。

夏小雨从里屋出来，对夏顺开道：“爸，你选的时机不对。”

慧芳走在楼梯上，眼泪不禁流了下来。

十六

慧芳回到家里，王家姐弟还没走，一屋子人正坐在收拾干净的厅堂里说话。

慧芳一进门，国强便对她说：“姐，我们正说你呢，觉得你和夏顺开挺合适的。”

慧芳：“少拿我开玩笑啊！”

国强：“不是开玩笑，真的。我觉得他对你也挺有意思。”

刘大妈：“人家顺子现在出息了，能看上咱慧芳吗？”

国强：“嘁！我姐嫁给他，抬举他了。”

亚茹：“从条件和年龄上看，倒是很般配。”

沪生：“我觉得慧芳和这姓夏的性格上区别太大。”

亚茹：“性格区别大，正好互相取长补短。”

慧芳：“你们闲得没事，拿我闲磨牙。”

刘大妈：“你觉得呢慧芳？你觉得顺子这人还要得吗？”

慧芳：“没想过。”

沪生：“现在想想。”

慧芳：“王沪生，你就有这本事，跟谁一接触，立刻把关系庸俗化了。”

刘大妈：“顺子倒是好人。”

慧芳：“好人多了，你能跟所有好人都成一家子？这跟他是不是好人有什么关系？”

刘大妈:“这丫头，现在还不许妈说话了。”

亚茹:“我看咱们也别瞎操心了。这是人家两个人的事，成与不成也在他们两人之间，没准儿人家已经私下有了默契了。”

沪生:“就是就是，咱们就别在这儿瞎捣乱了。”

刘大妈:“沪生，你光惦记着把我们慧芳发出去，你怎么样了?都奔四张了还慎着呢?我们街坊倒有一寡妇，小学教师，跟你也算一样的知识分子。”

沪生:“大妈，我您就别操心了，我准备交钱去上电视‘今晚咱们相识’了。”

大家笑。

慧芳:“你这样的，梳梳头，光鲜点，还真能唬一气。”

亚茹:“得找那种不究既往的。”

沪生:“姐，要不咱俩联袂登台吧。”

众人哄堂大笑。

十七

次日，慧芳正在农贸市场买菜，手抓一把蒜苗和小贩讨价还价。夏顺开出现在她身旁。

他看上去心事重重，也许是宿醉之后受着头疼的折磨。他也拎着一个破菜篮子，篮子里放着几个西红柿和洋葱头。

夏顺开:“慧芳，我有话对你说，能约个时间吗?”

慧芳不理他，对小贩道:“秤给足啊。”

“今天下午两点，王府井南口怎么样?”

慧芳沿着菜场货台往前走，一路用手翻拣着青椒、卷心菜和成捆的菠菜。

“我跟你说话你听见没有？”

“这豆角怎么卖？”

到了楼群间夏顺开住的那栋楼前，夏顺开动手往单元门里拉慧芳：“上去坐会儿，就一会儿。”

“你别动手动脚的啊。”

“那你倒说话呀，聋了怎么着？”

“不去，没什么好谈的。”

慧芳往自家楼房走去。夏顺开原地愣了片刻，拎着菜篮子追上去。

慧芳进门忙反身关门，夏顺开一只脚已经伸了进来。二人在门两侧相持角了几秒的力，门“嗵”地被夏顺开顶开了。

刘大妈闻声出来：“怎么啦？”

慧芳见妈出来了，不再言声，放了菜篮子进了自己屋。夏顺开也忙拎着菜篮子跟了进去，慌慌张张对刘大妈说：“大妈，没空儿和您聊。”

大妈愣了一下：“谁打算和你聊了？”

慧芳背靠着窗户，手扶着桌沿儿，对夏顺开道：“你怎么那么没皮没脸？闯到人家里来了？”

“昨晚的事……”

“什么昨晚？昨晚有什么事？不知道。”慧芳把头一扭，去看窗外。

“你别这样儿，你干吗这样儿啊？”夏顺开急得叫起来，“你这不是折磨人吗？”

“你嚷什么嚷什么？我妈在外边竖着耳朵呢？”慧芳跑去窥视了一下，把门关了，“说话不会小声说？说吧，你想说什么？”

夏顺开倒吭哧吭哧说不出来了。

“怎么又没词了？”

“我能坐下吗？”

“坐吧，谁不让你坐了？”

夏顺开发现自己手里还拎着菜篮子，放到一边。刚坐下，发现慧芳仍站着，忙也站起来：

“昨天晚上，怪我时机选得不好，加上喝了酒，说话颠三倒四的，冒犯了你，请你原谅。”

“好吧，我原谅你了，你可以走了。”

“不行！怎么能就这么走了？”夏顺开又急得哇哇大叫，挥舞着胳膊向慧芳迈近了一步。

“你离我远点，你不是就是来请求我原谅的吗？我原谅你了，你不走还干吗？”

夏顺开退回了原位：“我话还没说完呢，正事还没说呢。”

慧芳：“你能有什么正事？”

“昨晚我跟你说的那些话不是醉话，也不是胡说，是真……真心话——原谅我只能说到这份儿上了，再肉麻我也不会说。”夏顺开脸涨得通红。

“难为你了，你那些肉麻话我也不想听。”

“那么就是说，你完全明白了我昨晚所说的那些话的含义和重大意义？”夏顺开询问的语气、神态都很庄严。

“我完全清楚了你的企图和打算。但这只是你单方面的企图，你忘了问问我是怎么想的。”

“我今天就是专程来探听你的打算，听了我的打算你有什么打算？”

“你靠墙站稳了，我告诉你。”

“不，你别这么残忍地微笑。”夏顺开脸露恐惧，“请你慎重，回答我前先过遍脑子，此回答事关重大，你一定不可草率行事，以逞一时之快。”

“请你冷静夏顺开夏先生，我的回答不至于像毒药似的当场要了你的命。我的确是经过慎重思考回答的你，我无论到哪儿一向带着脑子的，虽然脑容量也许比您要少几克。我认为我不能接受您的盛情——你站得很好嘛，任何事也没发生——我觉得我们结为配偶不合适。”

夏顺开出人意料地露出微笑，文质彬彬地说道：“说说理由，你的理由必须能说服我。”

“我们性格差异太大，你太外向，而我又极内向。”

“这正好可以使我们较为顺当地适应家庭中的分工。”

慧芳摇头：“作为朋友，你的开朗、诙谐和肆无忌惮是可以令人愉快的，甚至吹嘘也不那么令人讨厌。但作为夫妻，你身上的很多——不能说缺点吧，只能说特点——令我不能容忍。假设我们成了夫妻，组成了家庭，你那种轻率、不负责任的处世态度和对胡说八道的癖好都会是发生口角、矛盾的起因。我不希望我的丈夫像个不成熟的孩子。可能小姑娘会喜欢这种人。可我已人近中年，我希望未来的家庭生活是安谧、平静的，是可以让我感到舒心的、安全的和可靠的。”

“你希望丈夫能作为你的靠山，坚强的臂膀，忘忧湖。”

“是的——随你怎么嘲笑吧。”

“你这一切是从书上看来的吧？”

“就算是又怎么样？”

“可以理解，但我不打算按你说的改变自己。首先我不承认我是轻率、不负责任的。胡说八道可能有点，我就是这么个人，爱说爱笑，改不了也不想改，接受我就连我的缺点全盘接受……”

“你不必改，我也没想叫你改。我说过，你可以这样，这也不是缺点，你就这样一直下去吧，但我受不了。”

“可这并不妨碍我让你同样得到舒心、安全和可靠。”

“你还要我跟你说多少遍？不是每个喜欢相声的人都希望在家里找个相声演员。”

“我觉得我们气氛不对了，有点被形式上的舌枪唇剑所左右了。谈得太冷静太算计了。这不像是在谈情说爱了，成了纯粹的找对象了，这么谈下去分歧只会越来越大。抛开一切不相吻合的条件，不管是物质上的还是性格上的。我们光把大脑停顿片刻，不要它工作，只谈感觉，直觉，你觉得我这人怎么样？”

“你又不让我用脑子了，让我用脑子的也是你。我说过，你可以做朋友。”

“就是说还是有好感的？”

慧芳想了想，点点头。

“这就对了。”

“可这不代表我就会嫁给你。”

“这不重要。重要的是直觉，要相信自己的直觉。”

慧芳笑了：“你就拼命捞稻草吧。何必呢？我的态度已经向你表明了。”

夏顺开严肃地说：“我不认为这是你的真实态度。你的决断和你的感觉是矛盾的。你其实是有意于我的，只不过是有些习惯认识和传统观念妨碍了你，使你无法判明你真正需要什么。”

“你再能言善辩也无济于事，这种交谈就算真理全在你那一边也不能最终使我爱上你，就像 1 乘 1 永远不可能等于 2 一样。”

“那么我们另约时间再谈。今天晚上八点护城河边大柳树下，我们都不带脑子去。”

“你是不是想干什么事就一定要达到目的？”

“对。”

“那我给你一个教训吧，不是什么事都是想干就干得成的。”

“可是……”夏顺开蓦地激动了，“我不知道我怎么才能把这话说得诚恳，让你相信——我爱你！”

“我相信，我绝对相信你的诚恳。”慧芳确实被夏顺开的表白感动了，其实她也确如夏顺开所言，对他的感情极为复杂，自己也理不清，只是本能地选择了一种简便出路。已经觉得轻率了，可已然登梯凌空，又无法做到翩然而下，这同样显得冒失。

她说：“不少的人也一定对你说过同样的话吧？你是否每次仅因为她们这样说了，就一定要给人以满意的答复？”

夏顺开这时显出了对女人的没经验和笨拙。他缺乏花花公子们的营造气氛和巧妙煽情的能力。一旦真正受到一个女人的拒绝，他完全束手无策。他明知俘获一颗芳心并非推导一道科学公式，但他仍不免学究气。

他可怜巴巴地站在那儿，平时滔滔不绝的妙词隽语都没有了。他沉默无语地站了半天，弯腰拎起菜篮子转身往外走。

刚一迈步，他又停下了，自言自语：“不行，我不能这么就走了。”

他不习惯接受这种惨败的局面。他放下菜篮子，转过身面对慧芳，虎虎有生气。

“你要干什么？”慧芳看出一些危险，警惕地后退问。

他二话不说，上前直取慧芳。

慧芳拼命阻挡，着急地说：“你这人怎么这样？说不通理，就来野蛮的。”

二人在屋内展开近身肉搏。夏顺开扑得慧芳一会儿跑上床，一会儿上桌子，鸡飞狗跳，四条腿碰得桌椅板凳乒乓乱响，但二人都不吭声，只听得互相使劲的喘息。

“我喊人了。”慧芳一手用力托着夏顺开的下巴，把他的嘴扭向一边。

夏顺开扬着脸，龇牙咧嘴。

到底夏顺开力气大些，“咕咚”一声把慧芳连人带马压在床板上。

“啊！”慧芳情不自禁地叫了一声。

刘大妈在外屋听得蹊跷，又不便闯进来，便问：“怎么啦？慧芳。”

二人一下都不动了。慧芳隔着压在身上的夏顺开欠头柔声答道，“没事，妈，我一脚踢凳子上了。”

接着她猛地一把将夏顺开推下身，跌坐在床下。

慧芳散乱着鬓发，气咻咻地咬牙低声骂：“流氓！”

十八

空荡荡的体育馆里，回响着冰刀蹬削冰面的“嗖嗖”声和肉体猛地撞上挡板的钝击声以及少女偶尔发出的短促、兴奋的尖叫声。

在几盏强力聚光灯照射的人工冰面上，一些夏装男女在敏捷有力地滑冰，冰刀在灯光的照耀下闪闪发光，间或激起一阵阵白雾状的冰屑。

夏顺开一手拉着女儿夏小雨，连续倒腿滑过弯道，由于离心作用，他们之间的手臂几乎拉直了，一黑一白两只手紧紧攥在一起。

夏顺开的表情十分专注，双目炯炯有神，额头沁满细密的汗珠，只有钢刷般直立的根根短发茬儿的微微颤抖才能显示出他在高速滑行。

刘慧芳和小芳出现在幽暗的坐席入口处，她们沿着一排排空无一人的座椅下台阶到冰场栏杆前。

"我找着他们了。"拎着冰鞋的小芳指着正风驰电掣低头从她们面前滑过的夏氏父女快乐地叫，"妈，我就换冰鞋了。"

小芳连蹦带跳地通过栅栏门，进入冰场，坐在条凳上换冰鞋。

慧芳在栏外一排座椅上坐下。

夏氏父女在远处转弯滑回来，通过慧芳面前的直道，再次转弯，几乎是直对着慧芳冲过来。这时，夏顺开松了手，夏小雨犹如离弦之箭继续向前冲去，连续倒腿弧转方向，从慧芳眼前一掠而过。

小芳蹬冰站起，摇摇晃晃一左一右撩着腿紧滑去追女友。

夏顺开斜着身子横过冰刀滋溅出一路冰末儿照直滑到慧芳面前，戛然而止。

几星冰凉的冰屑溅到慧芳光滑温热的脸上，她用右手中指点点揩去。

夏顺开手扶栏杆严肃地望着她："谢谢你能来。"

"我不放心小芳一个人来滑冰。"

夏顺开拨开栏杆门，穿着冰鞋咔啦咔啦走上观众席，在慧芳身边坐下。

"有件事求你。我要走了。去科威特的灭火队后天就要集中，周内就要出发，护照、签证和机票都下来了。小雨不想回她妈妈那儿，学校很快又要放暑假了。我希望你，不知是不是能够帮我照看一下她？虽然她说自己能照看自己，但她毕竟还是个孩子。”

“当然。”慧芳说，“可以让她暂时到我家去住，和小芳一个房间。”

“我和她谈了，她不太愿意到别人家去住。这孩子自尊心相当强，到别人家寄居她感到别扭，你想她连她妈妈那儿都不愿去。是不是能让小芳去陪她？当然，如果你要不放心也可以住到我家去监督她们，反正我也不在——这主要看你。”

“可以，随便，只要你放心，哪种方案都可以。”

“我对你有什么不放心的？只怕你不愿意。我家里的一切你都可以随意支配。”

小芳带着小雨在远处的冰面上摔倒了，两个女孩子的清脆笑声远远传来，二人的视线暂被转移了。

女孩子们又继续手拉手滑冰。

“多长时间能回来——你？”

“不好说，也许两个月，也许三个月，要看灭火的工作进展是否顺利。”

“很危险吗？”

“也没有想象的那么危险，当然总是有些危险。我看过一些资料，还是能够控制住局面的。唉，说好了要帮你学微机操作，也来不及了。”

“没关系。”

“你的工作等我回来吧，我正催着他们呢。”

“你不要总想着这些事，我不着急，这些年都过来了。”

“小雨有点哮喘的毛病，平时注意提醒她添加衣服，别着凉了。

她不吃芹菜、羊肉，也不能吃辣的，口味儿偏于酸甜，但甜的别让她多吃，她已经有两颗虫牙了。钱我交给你管着，一天最多吃一盒冰激凌，巧克力绝对不能给她买。”

“我知道，但钱……”

“不不，你就别推辞了，这是必要的措施。”夏顺开望着远处正在嬉戏的女儿，眼中露出深情，“我一年只有一个休假能和她在一起，有时假期还常常被打断，没能好好教育她，惯得她太任性，脾气还不小。你该说该批评别客气，就当是自己家的孩子。小雨对我是一点不怕，对你好像还有几分畏惧。”

“我看小雨挺好的，挺懂事。”

“懂什么事啊？不过还算懂道理，只要你道理摆出来说服人，她还是听的，不是那种蛮不讲理的孩子。真快，一晃就是大姑娘了，再过几年，还不定会有什么变化。”

夏顺开收回注视女儿的视线，看了眼慧芳。

“噢，慧芳，我们接触这段时间多有得罪，别往心里去。我也知道我这人身上有很多不好的东西，老实说一想起来也深感羞愧。”

“别说了，我觉得这事已经过去了。”

“是是，过去了。”夏顺开沉默了一会儿，脸上露出微笑，“那好，小雨就拜托了，回头走前我就把钥匙给你。”

“你也要多加小心。”

……

“怎么啦？”

“没怎么，”夏顺开抬头爽朗地笑，“很久没听到这么亲切的关心话了。我会的，我比任何人都更对自己倍加爱惜。”

“爸爸，你下来滑呀！”小雨滑过时扬起一只手欢快地叫。

十九

夏顺开身穿笔挺深色西服，打着领带，衬衣雪白，皮鞋黑亮，手拎一只硬壳公文箱，神采奕奕，步履矫健地向来接他的那辆银灰色小轿车走去。这个形象庄重、果决，给人以信赖感，同他这之前随意的打扮和举止判若两人。

轿车里钻出一个头发灰白、气度非凡的中年人，他们热烈握手，满脸笑容地彼此交谈。显然，他们是久经考验的知交和朋友。

这个地位似乎比夏顺开更高一些的中年官员为夏顺开打开车门，这是个表示尊敬的姿态。

夏顺开拥抱了一下女儿，拍拍小芳头，刚要往车内钻，又转过身来，抬头向这边招了招手。

——慧芳下意识地从窗户前退后了一步。她再次靠近窗前，那辆银灰色的小轿车已经开走了，小雨和小芳笑着说话，往楼内走。

她转过身，靠在窗台前，这时我们可以清楚地看到她的眼。

这张五官端正，光滑得近乎塑料的脸上有一抹淡淡的忧伤。

海狮脸状的飞机头蓦地抬起，犹如大熊直立，袒露出腹部的一组组机轮。整个飞机拔地而起，直刺蓝天。尖啸的引擎声划破绵密软柔的空气，充满耳鼓。

阴霾昏暗的天空中，一股股黑烟在弥漫、如绸飘荡，黑烟中闪烁着熊熊火光，再往下看，便可以看到一束束冲天而起的艳丽大火。

大地上，一台台矗立的井架四周，黑色的石油把方圆数十公里流成了泥泞的沼泽。有些漂浮在地表的石油已经着火。火苗以宽大的正面热烈、妖娆地燃烧，像一道道缓缓推进的海浪愈来愈炽旺地渡海而来。

一些身穿石棉防护服和长筒靴的中国人站在一辆越野吉普车前远远地观看蔚为壮观的火海。

已经换了装束，犹如一个外星武士的夏顺开站在人群相对突出的前方。他那张黧黑、泥塑般线条夸张的脸上毫无表情，嘴如斧斫般地闭成一条缝。

空气在灼热地抖动，气浪的蒸腾袅升肉眼可辨。尽管他们离大火现场有一公里远，但仍感到热浪灼人的烘烤。

夏顺开率先迈开双腿，踩着咕唧作响的黑油泥泞向着火的油井走去。可以看到，他的发梢、眉毛迅速焦化了。

夏顺开："爆破！"

油田大火又变为远远的黑烟滚滚的一片，四周并为黑框圈定，真实的色彩被荧光屏还原后变得有些灰暗。

慧芳一边往餐桌上摆碗筷，一边盯着电视屏幕看。

小雨和小芳嘻嘻哈哈从里屋出来，坐到餐桌旁。

"洗手了吗？"慧芳问她们，"去洗手去。"

两个女孩子笑着一前一后跑进洗手间。

电视机上的画面已换成贝克国务卿在约旦机场对记者发表谈话。

慧芳和两个女孩围坐在桌旁吃饭，她们很响地喝汤。

慧芳："小雨，你的数学、语文都九十多分，化学怎么才考八十分？"

小雨边吃饭边看书："我不喜欢化学，考八十多分已经对得起化学老师了。"

慧芳："你学习是为老师学的？"

小雨："我这已经超额完成任务了，我爸爸要求我及格就行。"

慧芳："现在我管你，你就不能只满足于及格。吃饭别看书，会影响消化的。"

慧芳伸手去夺小雨的书，小雨把书忙藏到桌下。

小雨："我爸爸就边吃饭边看书。"

慧芳："你应该学你爸爸好的东西，不好的就不要学。吃饭看书就是不良习惯。"

小雨："我爸爸说了，人得有点小毛病，在一些小地方可以稍稍放纵一下自己，这样你才会被人接受。谁愿意老跟一个圣人在一起呀？"

"你爸爸，老是你爸爸说的，我看你中你爸爸毒太深了。"

"慧芳阿姨，你不觉得你像一圣人吗？"

慧芳脸一下红了："谁说的？"

小雨道："我爸爸。他还说看你把自己架成那样都替你难受。"

小芳："你爸就会胡说。"

慧芳："行了，别吵了，吃饭。"

晚上，慧芳督促姑娘们洗完，上了床，关了灯出来。

她住的即是夏顺开原来住的房间。房间里没有更多陈设，几大架子书，书架上还摆放着各种矿石样品，还有几玻璃罐不同颜色的石油液体。这些共生矿的矿石样品和不同用途的油蜡，在灯光的照耀下闪烁着奇异的光彩，百色纷呈，十分动人。

慧芳欣赏了一遍这些矿石和油品，逐一拿在手上把玩，爱不释手，像个孩子似的啧叹不已。

墙上挂着一幅夏顺开身穿工作服，手拿矿锤，背景是雪山和蓝天的彩色照片。他在照片上昂首大笑，露出雪白的牙齿，很有些餐风饮露、跋大山涉大川的豪迈劲儿。

慧芳凝视着照片上的夏顺开，似乎被他的大笑所感染，自己脸上也渐渐地有了些许微笑。

“什么事这么开心呀？”她轻声自言自语，问照片上的夏顺开。

夏顺开仍在开怀大笑。

慧芳忽然不高兴了，冲照片上的夏顺开扇了个小耳光：“你他妈才是圣人呢！”

二十

“轰——”一声巨响，数百吨梯恩梯炸药的爆破力量几乎把大地的一角都给掀了起来，巨大的地块在空中像蛋糕一样酥裂开来，尘土灰烟像楼房倒塌一样扑地四起。

正在熊熊燃烧的一口油井的大火如同蜡烛被突袭而来的爆炸气浪一口吹灭。

远处一口油井的火焰受到气浪的摇撼，忽然改变燃烧方向，像挥舞的鞭子抽打了一下地面，地面淤积的石油湖“噗”地大面积燃烧起来……

受到梦魇的慧芳猛地从床上坐起来，捂着脸大口喘气，一脸惊恐。

黑暗的房间内，镶着夏顺开照片的镜框泛出凛凛光泽，只看得到照片一张黑魆魆的人脸轮廓，形状可怖。

二十一

深秋，皮纳图博火山爆发形成的火山灰使北京天空失去了深邃的晴朗和湛蓝。阳光似乎在照射到地面之前便已成了强弩之末。城市的建筑、花木都显得陈旧、黯淡，像是戴着减光镜看到的景象。过早袭来的西伯利亚冷空气伴着大风不时尽吹整个城市，使树木凋零，天空忽明忽暗。

慧芳很高兴地在梳头别发卡，她今天的穿着显然经过一番精心挑选，显得颇有韵致。她还在嘴上涂了少许口红，人年轻多了。

她容光焕发地对正也手忙脚乱穿衣打扮的小雨道："快点，我们得在十一点前赶到机场。"

"我这个拉链拉不上了。"小雨急得直跺脚。

慧芳过去帮她一抻，拉上拉链。

慧芳对愣在一旁看她们忙的小芳道："你还傻站着干吗？还不快去上学？该迟到了。"

小芳："我也想去。"

慧芳："人家是去接爸爸，你凑什么热闹？"

小芳："那你呢？你凑什么热闹？"

慧芳脸一红，旋又坦然道："我陪小雨去，总得有个大人领着她。你到学校别忘了替小雨请假。"

小芳边往外走边道："那也用不着涂口红啊。"

开往机场的民航大客车内，慧芳显得心神不宁。她不时作出副镇静安详的姿态坐在座位上，又不时像身上痒似的扭来扭去，东张西望。她脸上的表情忽喜忽怨。

出关大厅里挤满来接亲人的出国人员家属，还有一些地位很高的官员也在等候。一队显然是经过组织的女青年手捧鲜花鱼贯而入。

透过候机楼的玻璃幕墙，可以看到一辆救护车疾驶而来，到候机楼门口停下了。几个白衣白帽的医护人员拿着副担架下了车。

他们进了候机楼，立刻有机场人员迎上去，带领他们从另外的通道进到隔离区里面去了。

“飞机怎么还没到啊？”夏小雨焦急地说。

“还差几分钟。”慧芳看看手表，她也不自觉地轻轻颠拍脚尖。

这时候机楼内响起报告航班到站的播音。慧芳没听清女播音员的话，但大厅内忽然骚动起来，人人兴奋，她便知道飞机到了。

她们挤到出口处的玻璃墙后，紧盯着进入海关大厅的下机通道口。

片刻，一个强壮黧黑的汉子拎着皮箱出现了，接着更多的男人络绎出现了。

她们身后的人群发出更加兴奋的喧嚣。有人在喊：“看见了，出来了。”

进入海关接受检查的中国石油灭火队队员们频频微笑地向玻璃墙外的亲人招手致意。

小雨急得直蹦高：“我爸爸呢？我爸爸看见了吗？”

慧芳紧张地盯着每一个出来的男人的脸。他们都是那么相似，同样健壮，同样黧黑，同样都有一口雪白的牙齿如同一支运动队。慧芳几乎怕自己认不出夏顺开了。

最后一个男人出来了，后面是一个由五花八门男女老少组成的外国游客团。

“怎么会没有呢？”慧芳也急了，更加紧张地重新在大厅里那些散站在箱子间的男人们中寻找。

“夏小雨，你是夏小雨吗？”一个精明强干的年轻男人挤进人群，扳着夏小雨肩膀问。

“她是，她是。”慧芳在一边忙说。

“我到处找你找不着，用车去接你你倒自己跑来了，快跟我到这边来。”

年轻男人没顾上理慧芳，拉着夏小雨就往人群外走。

他把夏小雨领到那群官员面前，慧芳看到一些高级官员伸出手和夏小雨握手。

这时，她看到那几个医护人员抬着一副担架从里边出来了，一个护士高举着一个输液瓶，担架上躺着一个浑身用绷带缠绕连头、脸部都缠得严严实实如同一具木乃伊的人。

夏小雨脱离那群官员向担架跑去，哭着喊：“爸爸！”

慧芳什么都不记得了，只留下小雨随着疾行的担架哭泣的哀恸的脸和那个躺在担架上一动不动的人浑身缠绕的雪白耀眼的绷带以及女青年们献上的鲜艳无比的大捧鲜花在担架上沉甸甸颤动的印象。

第一个通过检查的归来者步出海关大厅，迎候的人群发出期待已久的欢呼声。

二十二

日出日落，朝霞满天，暮霭沉沉。

昏迷了数天的夏顺开苏醒了。那颗硕大浑圆、没有五官的白色头颅缓缓地在枕上挪动。他看不见任何东西，他的眼球也被灼伤了，他身上的烧伤面积几乎达到百分之九十五。他的头脑因为不可遏制的钻心疼痛更加敏锐、清醒了。

他机警地感到病房里有人。

他声音微弱地叫："小雨？是小雨吗？"

"小雨休息去了，是我在这儿。"一个女人平静的声音回答他。

"慧芳？"

面露疲惫但神态安详的慧芳把脸俯向他："你能看见我吗？"

"我什么也看不见。"

"你需要什么？"

"我疼。"

"护士刚给你打完'度冷丁'。"

"我疼！"

"安静点，你不能用力说话。"

"我无法安静——我疼！"

"那么想想愉快的事。小雨这段时间表现很好，期末考试成绩都在九十分以上……"

"我疼！"

"我想过了，等你病一好，我们就结婚……"

"我疼！"夏顺开大叫。

医生和护士闻声进来。

医生："你不要再和病人说话了。"

他对护士下医嘱，吩咐她给病人的输液中加吗啡和冬眠灵："让他睡觉。"

经过止痛和安眠的夏顺开满意地熟睡了，很响地打着呼噜。

又是一个天空晴朗的日子。病房内洒满阳光，窗外的树叶在和煦的秋风中络绎不绝地从枝头飘落，纷飞而下。

慧芳和小雨坐在夏顺开病床前，慧芳和他絮絮叨叨地说话，躺在床上的他显得很安静。

“我不想等了，我打算元旦就和你结婚，我们就在这个病房里结婚。你喜欢我穿白纱结婚礼裙的样子吗？不会笑话我吧？我还想在窗户上、门上都贴上喜字，放鞭炮，坐小汽车，才不管医院让不让呢。我把咱们的家都重新布置了。贴了墙纸，铺了地板。还买了一张席梦思大床。我还给自己买了一张特别漂亮的梳妆台，给你买了一张大班桌，我把咱们的钱都花光了……”

慧芳轻轻笑起来，小雨在一旁无声地掉下两滴眼泪。

“谁打算跟你结婚了？”白纱布面罩下的声音轻声说。

“你呀，夏顺开呀。不是你在夏天的时候向我求的婚？一个劲儿纠缠我，我不答应都快把你急哭了。”

“我没有。”

“你别想赖。说过的话想后悔？我这里可是有人证的。是不是小雨？”

小雨点头。

“你想逃避责任呀？我才没那么好骗呢。你招了我，我就赖上你了，你想不答应都不行，我还非嫁给你。否则我就跟你闹，到你们单位去告你，说你玩弄女性。”

“像秦香莲告陈世美那样？”

“对！让你身败名裂。傻了吧？告诉你，不管你怎么想，反正我是讹上你了。”

“你嫁不出去了非嫁我？”

“没错，谁让你不长眼的，你就认倒霉吧。”

“我脾气不好，爱喝酒，打老婆，长得也丑。”

“我认了，我觉得你长得英俊。”

“我还脏，不爱洗澡，吃饭吧唧嘴。好串门好聊天，尤其爱和姑娘接近，保不齐将来会出什么风流韵事。”

“我全认了。你就是天字号第一个大坏蛋我也爱你！”

“你说什么……”

小雨实在听不下去，捂着脸哭出声跑出了病房。

“我说我爱你。”

“再说一遍。”

“我爱你——我爱你我爱你我爱你！”

“谢谢，谢谢你……可是我不想给你一个当圣母的机会。”

“你把我当什么人了？”

“我不知道你把自己看做什么人……我只把你看做女人。”

“所以我就这么贱，同样不让你当个圣人。”

“那好吧，既然你……这么鬼迷……心窍，我就……我就成全你。”

“谢谢。”

“吻我一下，找得着嘴吗？”

“就是纱布上湿的那一块吧？”

“对，有股药味儿对吗？”

白纱布里的那个声音发出轻轻的笑声，接着无声无息了。

慧芳久久地把嘴唇按在那块潮湿的纱布上亲吻着，然后慢慢直起腰，把白被单蒙上了夏顺开缠满白纱布的脸。

她逆着乱纷纷跑进病房的医生、护士和官员们往外走，直到这时，一直挂在她脸上的那动人微笑才完全消逝。

夏小雨悲恸的哭声在病房里响起。

刘慧芳加快脚步沿着医院的走廊往外走。

带有凛凛寒意的阳光迎面笼罩了她，夏小雨的哭声也听不到了，她脸上才出现深刻的伤心和绝望。

（原载《钟山》1992 年第 4 期）

各执一词

1. 联防民兵队长，赵玉河：

我是酱油坊大街副食商店职工，今年初抽调到联防负点小责。酱油坊大街和瑶台公园都是我们的管辖范围。我们也是三班倒，白班的一般在大街上溜达，夜班的巡逻重点是瑶台公园。这一带是城根儿，居民成分复杂，收入低，文化水平低，小流氓成堆，打架斗殴成风，刑事犯罪发案率打解放前到今儿一直全市最高，"严打"时期狠狠搞了一下，扫荡了一批，好了几天，今年入夏以来又开始乱来。这小流氓跟韭菜似的，割一茬长一茬。不瞒您说，我对精神文明可真有点悲观失望。咱们政府为了教育这些孩子没少费劲儿，就说我们这儿的酱油坊中学，女英雄张海迪、李燕杰李老师全来过，那真是循循善诱，说得多好啊，我听着都动情，可那帮小兔崽子呢？左耳朵进，右耳朵出；麻木不仁，毫无心肝，该折腾还折腾；甚至用脏话侮辱、糟蹋人家英雄，真令人痛心。这话不说了，老单同志您是专门干公安的，知道的比我多，就说七月十五日这天晚上吧。

七月十五日晚上是我带班。我们一共三人，我，药店的小钱，粮店的小孙在瑶台公园巡逻。这瑶台公园过去是皇上一个闺女的坟，草深林密，有山有水，大街上的小流氓晚上全钻这儿来，聚众瞎胡搞，把劳动人民休息的场所搞得乌烟瘴气。早晨你到林子里瞧吧，满地都是烟纸盒，哪天我们也得抓上几对胡折腾的，人手有限，这也是挂一漏万。说实话，我对干这龌龊事没多大心劲儿，咱有老婆，有孩子，可这不是咱的本职工作嘛，咱也得尽心尽力。那帮小流氓说咱爱过眼儿福，纯粹是诬蔑！唉，咱当民兵也是忍辱负重，可有谁体谅？

我和小钱、小孙巡逻到后山松林里，瞅见一男一女在石头上坐着，样子可疑，当时月色朦胧，我们也看不大清，又不便贸然上去。咱民兵的职责是打击坏人，可也得保护、尊重人民群众的正当权益，规规矩矩谈恋爱的不能搅扰人家。我们就屏住呼吸，悄悄站在树后观察，越看越觉不对头。咱有经验，那正经谈恋爱的都是互相依偎，唧唧咕咕，穿插着亲个嘴什么的无伤大雅的举动，不紧不慢。乱搞的可就不一样喽，男的胡侃乱煽，同时动手动脚，急不可耐，透着不负责任，一时性起，过这个村就没这个店。女的嘛，虽说也不是什么好东西，可总爱装装样子，软声娇语，半推半就。遇上这号的，我们就在关键时刻给他来个大喝一声，迅雷不及掩耳地当场擒住，一般百发百中，十拿九稳。

这一对就符合“乱搞”的特征。果不其然，不一会儿，那小子就把胳膊往姑娘肩上搭，手往人家怀里伸，女的推他胳膊。二人正在拉拉扯扯，我们冲了出来。我一把揪住那小子喝道：“你干什么？”那小子手缩得比火燎着都快，跟我装孙子：“没干什么。”我斥道：“不老实！我全看见了。”那小子还跟我犟：“我们认识，我们在谈恋爱，你管得着吗？”我把那小子揪到亮处一打量，嗬，才十六七，再一看那姑娘更小，才十四五。我又问那姑娘：“你们干这事家里父母知道吗？”那女孩还没回答，您打听的那个姓李的女孩和另一个小子从旁边黑影里出来，问我出了什么事，并跟我说他们四个是同学，一起出来玩。他们说："师傅您把他们俩放了吧。"我说："我瞅你们俩也不像好东西，大晚上到这黑灯瞎火的山上玩什么？甭废话，我们是联防民兵（我把红袖章从兜里扯出来给他们瞧），跟我们走一趟，谁也别跑。"那个姓李的女孩说不去，他们又没干坏事，凭什么跟我们走。我说我劝你还是跟我们走，要赖没你的好果子吃。"没事你怕什么？"我都是好话好说，没揍他们。我有政策观念，知道打人是执法犯法，这个小钱、小孙可以作证，告到哪儿我也不怕。后来他们四个跟我们去了公园派出所，值班民警是小周，我把情况跟他讲了一遍，小周和我们是老熟人了，互相配合得很默契，我把人交给他就继续巡逻去了。小周怎么审的他们我不清楚，下半夜回来，只听小周说已经把他们放了。我知道的情况就这些。要我说那姓李的女孩出了什么事，责任完全不在我们，我们并没有为难她，只是简单审查了她一下，也是对她负责嘛。她才十四岁就跟小流氓鬼混，出了事怎么办？将来怎么做人？我认为重点应该审查那两个小流氓，他们纠缠、调戏少女，应该对由此而产生的一切后果负责。

2. 瑶台公园派出所民警周至刚：

七月十五日晚九点多联防队的老赵将李飞飞、周丕丽、吴志军、郑立平四人押到派出所，说四人在后山林子里有伤风败俗行为。老赵走后，我逐一对四人进行了讯问。

少女之一周丕丽陈述，她与李飞飞同是酱油坊中学初二(3)班同学，七月十五日晚到瑶台公园闲逛乘凉，在"母与子"塑像旁遇到吴、郑二人搭讪，要与她们"交朋友"。她们与吴、郑二人素不相识，对吴、郑二人的要求也未置可否，但吴志军旋即手搂李飞飞颈，将其拉扯裹胁而走，她只得跟随而去。在后山林中，郑立平将她带到一边与李分开，正要对她进行猥亵，联防民兵出现。

吴、郑二人的供述与周的供述大致一样，吴承认曾三次摸了李的乳房。他的这一供述受到了李的坚决否认。

李飞飞在讯问过程中表现相当焦躁，所述事实与其他三人的陈述出入很大。

首先，她称与吴志军早就相熟，这次瑶台相会是放学路上约好的。吴确曾提出要和她“交朋友”，实际上这一要求是一月前吴通过她的好友周丕丽向她提出的。她表示年龄尚小，正在上学，若吴真有“互相照顾”的诚意，可先结拜兄妹。吴表示“不在乎形式”，同意了。七月十五日晚上就是他们“兄妹”的首次约会。整个约会过程中，直到联防民兵出现，吴都是对她很尊重、很规矩的，“当然说了一些开玩笑逗乐的话”。她说她发誓她说的都是实话，她不明白为什么他们要“瞎说一气”，但又拒绝在讯问记录上签字画押。

我看出她有很强烈的畏惧心理，便向她指出，不必惧怕流氓报复，揭发小流氓不会受到什么伤害，唯有向公安人员作伪证，才会贻祸个人，后果严重。李仍不据实交代，反而一个劲问我会不会把她的材料装入档案，我说你既敢做就该敢当并再次要她在讯问记录上签字，遭到她的再次拒绝。我只得对她说：“你不签字也没用，这些情况我都要向你们学校和你父母反映，混是混不过去的。”

这时，各路联防民兵又源源不断地送来一对对形迹可疑的男女，我无暇再在他们这件小事上费工夫。这件事的确是件不起眼的小事，我既无心深究也不想怎么惩罚他们，他们四个都很年轻，又无前科，吓唬一下，训诫几句，叫他们以后老实点就行了。另外我对李飞飞的倔犟和不可理喻实在也有些厌倦，便把那两个男孩叫进来，让他们滚蛋，明天写份检查交到派出所来。两个女孩我本打算用摩托车把她们送回家，但李飞飞坚决不坐，我就让她们自己走回家，路上不许停留，不许再跟那两个小流氓搭话。她们走的时候是夜里一点，后来我就忙别的去了，这件事不是你提我早忘了，屁大的事。

据我的观察，这几个人中李飞飞的态度最不老实，她对讯问躲躲闪闪，避重就轻的回答使我强烈感到她在试图隐瞒什么。我认为不能排除她有更大的不法行为。她拒绝在讯问记录上签字，唯恐此事被传出去，使我不得不怀疑，她是畏惧，由此引起的连锁反应导致她的其他更严重的不法行为暴露。她竭力把这件事描绘成正当、合情合理的行为，甚至不惜为流氓分子吴志军开脱，很明显是试图逃避打击。

这个女孩子岁数不大，貌似老实怕事，但从我积累的经验看，这种不大的女孩子中也不乏老练狡猾、善于伪装者。我上过这种“单纯可爱”的女孩子的当，总认为她们只是受害者，实际上，在很多案件里，她们往往是害人者。也许她真的跟吴志军早就相熟，但绝非像她所说的那样，是一种纯洁无邪的关系，也许他们早就鬼混在一起，无所不为，甚至可能是一个流氓集团。我印象中这个女孩似乎很面熟，很可能被我们打击过。去年，我们派出所在瑶台公园抓获过一个全由少男少女组成的流氓鬼混团伙，因为人数太多，甄别了一下，首犯送了分局，一般胁从就放了。我记不清那里面有没有这个女孩子，他们的活动方式和这次很像，一对对分开，美其名曰谈恋爱，回头要查查当时的讯问记录。

我们正在布置对这个女孩子的寻找工作，我已经和各车站派出所、收容所打了招呼，我担心这个女孩子会畏罪潜逃。另外我也对街道布置了对吴志军等人的监视，当然我相信他们在这里的供述，但我不相信这就是事情的全部，我随时准备对他们重新收容。

3. 待业青年吴志军：

七月十五日晚，我和郑立平在瑶台公园旱冰场滑冰，正玩得高兴，郑立平捅了我一下，让我注意栏杆外面站着的两个女孩，就是周丕丽和李飞飞。我不认识她们，可她们俩老看我，目不转睛地看。郑立平说是两个“喇”，于是我们就滑出场子，换了鞋追她们。她俩看见我们走过去，转身就走。郑立平赶上去问她们是不是酱油坊中学田径队的，她们光笑不说话。郑立平说“有戏”，就又追上去把她们拦住，问可不可以和她们“认识一下”。接着把互相挽着手的周丕丽、李飞飞分开，搂住周丕丽。周丕丽说：“别动手动脚的，让别人看见不好。”郑立平说：“怕别人看见，咱们就到后山去。”把周丕丽往后山带。我看李飞飞一个人跟在后面挺无聊的就上前和她并排走，问她叫什么名字，家住哪儿，在哪儿上学，她都一一告诉了我。郑立平带着周丕丽钻进了林子，我对李飞飞说咱们别老跟着他们，怪碍他们事的。李飞飞笑了，不走了，和我在山坡上坐下来了。我们俩聊天，什么都聊，国内国外，“改革”“三中全会”，聊得挺欢。后来她自个儿主动靠在我身上，我就势摸了她的奶子，她没言声也没反对。月亮照到了我们坐的地方，她还说再往黑处挪挪。这时就听那边嚷了起来，李飞飞说咱们去看看出了什么事。我们走过去，看见了那三个工人民兵大叔。

工人民兵大叔对我们很好，没打没骂，只是委婉地向我们指出，我们这样做不对，不符合“五讲四美”的精神文明准则，和蔼地让我们跟他们去趟派出所，到那里“把事情讲清楚”。到了那里，派出所的周大叔更和蔼可亲地对我们进行了批评帮助，特别是他对我们的那种毫不歧视的口气，我感动得簌簌掉泪。我问我自己，要是我亲爸爸遇到这件事能像周大叔这样心平气和吗？回答是：不会的。周大叔真是人民的好警察啊！

在这里，我要揭发一件事，在工人民兵大叔带我们去派出所的路上，郑立平曾悄悄对我说：“不能讲真的，死咬住是谈恋爱就没事了。”我没有上他那个当，现在看来，老实是老实对了。

关于李飞飞这个人，开始我对她印象并不好，认为她很轻浮，不是我想象中的那种多情、美丽、贞洁的女孩子，十分浅薄。后来一接触，发觉她其实是个很深沉的女孩子，对人对事都有自己的、独特的见解，对爱情有着热烈的向往和追求，那种追求很虚幻又不能不说很真挚。说实话，尽管我的行为很荒唐、很轻率，但从内心讲，我认为我不是在玩弄她的感情，我也是重感情的人，也受了党这么多年的教育，我想我是有点——绝不是瞎说——爱上她了，想跟她结婚……嗯，当然是达到法定年龄之后。

听说她的失踪后，我很难过，也自责。这都是因为我的缘故，我亵渎了她的身体，偏偏这事又让别人知道了，不光彩地被擒住了，一个骄傲、有尊严的女孩子怎么能够无动于衷地接受这种耻辱？我愿意走遍天涯去寻找她，自个儿掏钱。我想她不会走得太远，她这样的女孩子走到哪儿都会惹人注目的，再说她孤单单的也没什么有钱的、可以收容她的朋友，这是她亲口跟我说的。那天晚上她跟我诉过很长时间苦，说自己连个体面的亲戚都没有，平时只能到唯一的舅舅家去串门，而舅舅家的一个比她大很多的表哥又是个色鬼，总是跟她动手动脚。你们别以为我知道这么多情况，就好像我跟她的关系有多深，有的人一辈子待在一起也没话，而有的人一碰上就像火柴碰上磷纸立刻擦出火星。

自己毕业后，由于没有找到工作，心里挺烦的。又觉得反正也没人管了，想干什么就可以干点什么。法制观念淡薄，羡慕资产阶级生活方式，总认为只要自己不去强奸，两人愿意就合理合法。经过派出所周大叔的耐心帮助教育，自己认识到自己干了不该干的事，摸了不该摸的地方，客观上起了破坏安定团结的社会局面的作用，亲者痛仇者快，辜负了党和人民对自己的殷切期望。我决心吸取教训，痛改前非，从头做起，重新设计一个“我”；诚心诚意地接受政府的任何处分，认罪伏法，绝无半点怨言；向张海迪、曲啸学习，从逆境中奋起，和郑立平这样的坏人彻底断绝关系，立大志，吃大苦，开创自己生活的新局面，做个无愧于伟大时代的新青年，请领导和同志看我的实际行动吧！

4. 待业青年郑立平：

七月十五日晚，我和吴志军在瑶台公园旱冰场滑冰。正玩得高兴，吴志军捅我一下，让我注意栏杆外面站着的两个女孩，就是周丕丽和李飞飞。我不认识她们，可她们老看我，目不转睛地看。吴志军说是两个“喇”，于是我们就滑出场子，换了鞋去追她们。她俩看见我们走过去，转身就走。吴志军赶上去问她们是不是酱油坊中学田径队的，她们光笑不说话。吴志军说“有戏”，就又追上去把她们拦住，问可不可以和她们“认识一下”。接着把互相挽着手的周丕丽、李飞飞分开，搂住李飞飞，李飞飞说：“别动手动脚的，让别人看见不好。”吴志军说：“怕别人看见，咱们就到后山去。”把李飞飞往后山带。我看周丕丽一个人跟在后面挺无聊，就上前和她并排走，问她叫什么名字，家住哪儿，在哪儿上学，她都一一告诉了我。吴志军带着李飞飞钻进了林子，我对周丕丽说咱们别跟他们往林子里钻，弄不好犯错误。周丕丽笑了，说：“没看出你还是个正人君子。”她这是挑逗我，我装没听懂，拉她在亮地坐下，一坐下她就躺我怀里了，看得出很老练，我躲也躲不开，推也推不动，只好那么提心吊胆地坐着。我给她讲年轻人如何对待爱情，讲“三中全会”以来的大好形势，她不听，光咯咯乐，还在我怀里直拱，故意把胸脯往我手上压。我开始还坚持着，告诫自己越是这种时刻越是要磨炼自己的意志。可我终究不是圣人，没经得住考验。思想一放松，手就伸了过去……

这一伸不要紧，就把自己的手伸进虎口了，幸亏工人民兵大叔们及时地一喝。这一喝喝得好，喝得及时，正如大叔们中为首的那位所说：“若不是这一喝，任你发展，你还不知道要滑进什么样的无底深洞之中。”的确，那一定是个相当惨不忍睹的景象，我后悔啊！差一点我就成了吴志军第二。

吴志军这个人我不太了解他，尽管我们很熟，天天在一起，但他这人城府很深，从不跟我说真话，他要说哪儿有一头猪，你可千万别信，也许那儿只是一只蜘蛛或是一个姓朱的姑娘。平时我们在一起，他总是谈女人，很下流。我要说我一次没附和过他，你们也不信，但我的确觉得老说这个腻味。

我不知道那天晚上他对李飞飞到底干了什么，干到什么程度，实在是天黑加上全神贯注忙自个儿的顾不上，又不能瞎说，我只能说一句，吴志军不像我多少有点克制力。他是一见喜欢的就没命，绝不肯中途收兵。从平时和他吃饭、打牌中就可以感觉出来，暴饮暴食，孤注一掷。这脾气，引导得好，可以是股改天换地的力量，搞不好，就会是个很大的危险。

我对李飞飞的遭遇很同情，我理解她为什么会出走，我想她是蒙了——连我都蒙了。

我痛悔自己的轻率，意志薄弱，没能用毛泽东思想武装起来，在思想上筑成铜墙铁壁。一旦资产阶级香风吹来，糖弹打来，就落花流水，一败涂地，铸成终身大错。毛主席逝世前早就告诫过我们。“帝国主义把和平演变的希望寄托在中国党的第三代和第四代身上。”这话今天听来仍犹如警钟长鸣，对照之下，自己更是羞愧难当，涕泪交流，痛不欲生。深感到自己罪孽之深，实属十恶不赦，起了阶级敌人起不到的作用，帮了阶级敌人帮不上的忙。青年，是国家的明天，是我们革命事业的希望。而自己的所作所为无异于动摇国家的根本；迟滞“四化”的进程；断送革命的成果！试想，“人终有一死。”一旦老一辈无产阶级革命家们仙逝，怎么能放心将无产阶级革命的重担交给我们这一代？一想到这点，我越发地心里惊悸，遍体流汗，不能原谅自己。但事已既出，后悔又有什么用？俗话说：“哪儿跌倒在哪儿爬起来。”我决心不在原地蹉跎彷徨，一切往前看。“疾风知劲草，烈火见真金。”不做温室的花朵，要做傲然挺立的青松。用加倍的努力弥补自己给党和人民造成的损失。亲君子疏小人。和吴志军、周丕丽这样的坏人彻底断绝关系，永不来往。向老山的英雄们学习，“苦了我一个，幸福十亿人。”乘“改革”的浩荡东风，一扫自己头脑中的旧观念、旧意识。学习世界各国的先进经验，摒弃、杜绝不良影响，为我所用，为把我国建成有中国特色的社会主义强国而奋斗，终身不懈。请领导和同志们看我的实际行动吧！

5. 酱油坊中学初二（3）班班长周丕丽：

郑立平胡说八道语无伦次信口雌黄颠倒黑白做贼心虚欲盖弥彰真真的不要脸。

七月十五日晚上,我和李飞飞根本没去滑冰场,只在“母与子”雕塑旁的草地上散步谈心。吴志军和郑立平两个人路过，看见我们就上来搭话，嬉皮笑脸，言语下流。我们理也不理他们，叫他们走开。我义正词严地对他们说:“你们把我们当成什么人了!”郑立平和吴志军真是两个厚颜无耻的人，挨了我们的骂仍嘻嘻乐，还上来一个扯一个把我和李飞飞拉开，往后山林子里拽我们。我掐郑立平，跟他说:“你这是犯罪啊。”他执迷不悟仍不放我。这时我看到李飞飞被吴志军拖走了，怕出事，就去追，郑立平拉住我，不让我追。他是男的劲大，我挣不过他，就被他拉到另一处按着坐下。他一坐下就露出流氓嘴脸，像章鱼似的伸出无数只手往我身上摸,我防不胜防,就被他侮辱了。幸亏工人师傅及时赶到,才把我救出来。

由于我们年轻，警惕性不高，没有经验，受到了流氓分子的暗算。事情发生后，我和李飞飞心里都很难过，李飞飞尤其觉得没脸见人，从派出所出来，她就一路哭，说民警说了，材料要装档案，还要学校和家长反映，“用不了几天，所有人都会知道，以后还怎么做人，不如死了好。”路过她家时我要陪她进去，她不肯，说爸爸打人，妈妈更凶，回去会被他们打死的。我没办法，只好带她去我家。我家没人，姥姥死了，爸爸、妈妈去奔丧了。在我家她还是老哭。李飞飞是个自尊心很强的人，长得又漂亮，平时就爱幻想，老把男女之事想得很美、很浪漫。这次遇上了这么丑恶的事，很受刺激，对自己如此轻而易举地被人玷污了清白痛不欲生。我便安慰她："谁也难免碰到倒霉的事，派出所饶不了那两个小流氓，会替咱们出气的。""别想那么多，这不算什么，又没掉肉，就当遇上回日本鬼子扫荡吧。"其实我心里也很难受，强颜欢笑吧。飞飞还是哭，并掏出钱包郑重其事地要求我转交给她父母。我吓了一跳，忙说你可不能学《红旗谱》里朱老忠他姐，现在是新社会，咱们妇女有冤有仇可以到妇联去申诉，会有人给咱们做主的。"听说最近上演的《仅有爱情是不够的》特好看，什么时候咱们去看一场。"我把唾沫星子都快喷干了，飞飞才不哭了。后来我们上床睡觉。躺在床上我还给她讲学校怎么好，老师怎么好，如果她能坚持一个学期天天早上来打扫教室，我保证初三能让她入团。她不言声了，我自己也慢慢睡了。后半夜，我迷迷糊糊感觉她不在了，睁眼瞧瞧，屋里也没人。我想她也许上厕所去了就又睡着了。早晨起来，发觉她还没回来，桌上放着她的钱包和一张纸条，纸条上写着："父母亲大人，我要永远永远离开你们，远走高飞，去过美好而幸福的生活。"我害怕了，没敢声张，直到飞飞父母下午来我家找她，才来报案。飞飞现在一定凶多吉少。我强烈要求政府严惩郑立平和吴志军，为飞飞报仇，也为我申冤。

不管郑立平、吴志军自己怎么说，反正我不认为他们俩这是初犯，派出所没记录那是他们工作不负责任。从郑立平侮辱我时的动作看出他对女同志内衣门径很熟，可以想见他是偷香窃玉的老手了。

虽然我过去不认识郑立平和吴志军，但这两个人的坏名声我也早有所耳闻，他们也不是第一次截我们了。

我和飞飞在这条街上是很出众的，多少流氓打我们的主意，每天上学下学，校内校外多少男的走过来和我们搭讪，往我们手里塞情书，就好像我们是副食商店门口的那个邮筒。对这些人，我们从来都是昂首抬头，挺胸而过，从来不理他们。

我们知道我们正是长身体、长知识的年龄，祖国的未来需要我们去建设，人类的事业需要我们去开创。是的，作为一个女孩子，当她长大成人后，终归要恋爱，要嫁人，要生儿育女的。但我们嫁给什么人？真正值得我们爱的又是什么人？我们不是那种假惺惺的理想主义者，也没有畸恋癖，自然不会嫁个缺胳膊短腿的英雄去耸人听闻，尽管年轻，我们并不幼稚，提倡爱的一般来说并非我们心中真正想爱的，我们不会为了让士兵在战场上更无畏些帮国家什么忙。但我们也绝不会垂青我们街上这些庸碌之辈，那都是些什么玩意儿？鼠头獐目、一贫如洗，比起那些金发的外国小伙子差远了。除非强迫，我们发誓绝不让中国人沾边儿。

6. 酱油坊大街“红心”煤场运输工人李玉奎：

我是飞飞的父亲。我这女儿是最小的女儿，我五个孩子，数这小女儿最有出息，书念得好，每次考试没下过八十分，学校老师都喜欢她。这孩子虽说年龄小，可心细，重感情，知道疼老人，平时我的衣服都是她给洗。我晚上爱喝两口，我们飞飞就变着法给我下酒菜，这孩子心灵手巧，炒出的土豆丝比那肉丝还像肉丝。不怪我平素看重她，比她那四个哥有良心，将来养老全靠她了。我不怕您笑话，刚看见飞飞留下的纸条，我的心都碎了，当场下泪，这孩子怎么着了。我不明白。她觉着不幸福？我可是从没给她受过一点委屈，从小到大，没动过她一手指头。前些年，她四个哥哥都没出去，我们家生活困难，女孩子爱美，想穿好衣裳买不起，净捡她哥哥剩下的衣服穿，我们飞飞瞅上去是惨了点。可这些年，过去亏的全给她补上了，别看我只是个出苦力的臭工人，可我敢说这么一句，没让我闺女短过钱花。该知足了！虽说比不上美国人过得阔，比非洲埃塞俄比亚那帮人可强到天上去了。

我们飞飞本分、老实，为人腼腆，从不和街坊四邻那些小坏枣们掺和。光知道用功，没事捧着厚厚的书躲在被窝里看。抢都不撒手，一看看到夜里两三点，每回都得我三番五次给她关灯。我怕她把身子熬坏了，可我也自豪，我们飞飞这是胸有大志啊！保不齐我们飞飞将来不是个女才子？我们家祖辈受穷，如今可算是祖坟上长出蒿子来了。要说我们飞飞的品貌那真是没的说，百里挑一。有次我们飞飞还真差点让电影厂招了去，一个小伙子在大街上追了我们飞飞二站地，死缠硬磨非要让我们飞飞演一个小寡妇，征求我意见我没同意。我跟我们飞飞说，咱人穷志不穷，老了也不能干那下贱行当，这戏子里没一个好东西！摘星星你爸踩着梯子给你摘去，这事说下大天来——不成！电影厂的小子再来跟你没完，我跟他玩儿命。我们飞飞还是黄花闺女呢，让去演寡妇，缺德不缺德？别憋那份坏，大爷是明眼人。不怪我们飞飞，这姑娘漂亮，就是招灾惹祸，不怕贼偷就怕贼惦记着。当爹妈的也不能一天到晚跟屁虫似的跟着，偏偏当世上还有那么多的坏小子虎视眈眈。政府那么铁了心地抓，也抓不完，我们有闺女的人家整日提心吊胆。同志，你们可一定把我闺女找回来。我这给你磕响头了。只要您把祸害我闺女这个人给我指出来，甭劳您动手，我为民除害！我活了大半辈子，什么都豁出来！

我难过，我心酸，老了老了让人……我不靠天，不靠地，全靠咱人民政府了，是死是活我得见着我闺女一面。唉，闯荡了一世，到了可尝着让人连根薅了的滋味。老天在上，咱年轻时候是浑过，缺德事没少干，踹寡妇门扒绝户坟什么的，可那是旧社会，咱也算是为推翻国民党的反动统治出过力，解放后咱可一直是老老实实，拥护毛主席拥护共产党的，找后账没有隔三十年还找的，报应也不该报应到我闺女头上，呜呼唏嘘，她还是个孩子，懂嘛呀，有什么您全冲我来得啦，滚钉床抱铜柱我一人扛着。

老单同志，我这一辈子不容易啊，什么全让我赶上了，就这么一个闺女是个安慰，又“吱”一声找不着了，不见影了。您说她会不会是看上了哪个小白脸，跟上跑了？这事旧社会我可见多了，没把你家钱财细软卷走就算便宜，可不对呀，我们飞飞才十五，小了点，没到嫁人的年龄，虽说愣要嫁也成，可她自个儿不嫌小，人家还不嫌小？瘦鸡似的！老天，可别是个老色棍，现在哪个法院贴的布告上都有这些老坏蛋被枪毙的消息。还有那些专门拐卖妇女儿童的人口贩子，我可不想让我闺女落到这号人手里，先糟蹋了再卖给旮旯里的独眼龙光棍汉当媳妇儿，给我远远地找个亲家，过个三年五载给我抱回个满身虱子一口方言的外孙子，您说我是认还是不认？这不是成心恶心我吗？这不是憋着让我死不闭眼、活着遭罪吗？这招可太毒了。我还指望我们飞飞将来起码嫁个军长的儿子，咱也坐坐那小汽车，买点便宜大米和苹果，尝尝军长下酒吃的豆腐干是什么味，和军长称回兄道回弟肩并肩坐着互相夸着——全吹了。

7. 酱油坊大街细脖胡同居委会积极分子王翠兰：

我是李飞飞她妈。别人不了解我们闺女，我了解，我比谁都了解。今儿出这事，我早料着了，怪不上别人，全怪我们闺女自个儿。

我这闺女打小就资产阶级思想严重，刚学走路，一迈步就往那资本主义的道上迈。虽说出生在我们这劳动人民的家庭，可她瞧不起她工人的爹，家庭妇女的妈。别看她嘴上不说，该喊爹喊爹，该喊妈喊妈，心里可是在发恨：这俩老东西解放前也是吃了上顿没下顿，干吗不去当红军！觉悟都上哪儿去了？她觉着她该是个公主命，从懂事起就唉声叹气，没舒展过眉头，我一眼就把她心里存的想头看个底儿漏。

这孩子阴哪，有心计。心里发恨嘴上甜，口蜜腹剑，把她爸当傻瓜哄。可要哄我没那么容易，也不看看我是干吗的——专做人的工作的，再看不透你小丫头是怎么回事就白活了。她是爱看书，那没错，可她看的是什么书？学校的课本？杨子荣、黄继光的书她能缩被窝里看半宿？蒙她爸行，她爸不识字，就认得人民币三字怎么写。蒙我？不是吹，小时候我们家也是唐官屯一带有名的豪绅，挂过千顷地的牌，那阵势别说她李飞飞，就是现今儿的官的儿子也未准见过。我小时候念书，都是请的先生家里来教，上学校，四五十个孩子挤在一起，能学会什么，学坏吧。要不是闹日本，我能嫁他李玉奎？咱也是千金小姐。哼，不说了，拔了毛的凤凰不如鸡，我这就够忍着啦。噢，你们别误会，我不是对咱共产党有什么成见，共产党伟大，毛主席光荣。要不是共产党，我连今儿这日子也过不上。我是恨日本，恨国民政府，光复那会儿干吗不去日本也给他一把火烧干净？不把小日本挨个枪崩了？弄得他们现在又得了势，造些带色的电视、带大喇叭的录音机来坑咱中国人的钱。我这是唠唠叨叨说远了，这都是国家大事，有首长们管着，轮不到我们家庭妇女插嘴。我这女儿学坏呀，全是跟那书上学的。什么《红楼梦》、《黑骏马》、《绿化树》，都是写那胡搞的事，说是爱情、反映社会现实，咱们都是过来人知道，哪有什么爱情？我这人就是直，有什么说什么，不管别人爱听不听。你甭戴大帽写改革写这写那，全是虚的，年轻人专拣那黄色地方跳着看！说到这儿我又要发议论了，咱们作家的社会责任感都哪儿去了？你搞就私下搞呗，干这行的，职业病，咱能谅解，你干吗还写出来让大家看，真不知道寒碜。我又该反动了，咱政府也不管管他们，引导引导，光抓小流氓管什么用？上边那教的你不抓。要我说我还赞成“文化大革命”那办法，都烧了，什么也甭看，好的赖的全没有，看你上那儿学坏去。

别人我是管不着哇，我的女儿我可管得着。别让我看见她看黄色书，看见我就撕，有一本撕一本，甭管借谁的。这孩子心歹呀，我撕书她就骂我。我也不客气，你骂我，就打你，宁肯打死你，我偿命，不能让你成流氓。这丫头天生也是浪，天生的贱种，看见男人就迈不动步。小小年纪一双眼睛就会骨碌碌飞媚眼，跟那帮街坊四邻的男孩子打打闹闹没个正经样，每次让我看到都把我气个半死，我就把她拽回家往死里打。我给她规定了严格的作息时间，放了学就给我回家，哪儿也甭去，谁来找也不成。她还交些坏朋友，她班上那个班长周丕丽坏透了，带着她不学好，给她介绍认识小流氓。我禁止她们来往，可她就是不听，没事就往周丕丽家钻，真是鱼找鱼，虾找虾，乌龟专找大王八。我到学校去找了几次她们班主任，叫她配合我们家长教育孩子，叫她把周丕丽的班长撤了。可她们那个班主任只知道业务挂帅，只要学习好，什么都不管，怎么能光是学习好不管思想品德呢？实在不称职，误人子弟。现在的教师质量真太差了。我建议你们把周丕丽抓起来，好好审审，我看她们像是一个流氓集团的。我这女儿我也管不了啦，就当我没生过这个女儿。走了也好，回来我也不让她进家门。我坚决要求政府逮着她把她判刑，送去劳改，把她改造成新人。

要说，现在对他们这些年轻人还是心慈手软，要我说，不如手铐“咔嗒”一响。现在的人都油了，什么也听不进去了，就得见真招，就得执法无情。我还不是说，要让我当公安部长，准能让咱中国没一个敢乱说乱动的。

8. 酱油坊中学初二（3）班班主任蒋大云：

我刚到初二(3)班当班主任时，李飞飞给我的印象挺好，干干净净一个小姑娘，不是很聪明，但学习刻苦，成绩在班上总能保持中游水平，对她那种家庭出身的孩子来说，已经是难能可贵了。后来时间长了，我发现这个女孩子不那么简单，看书很杂。有几次她在课堂上看课外书被我抓住，那些课外书都是她这个年龄的女孩子不适宜看的，理解不了，反而会产生一些坏的影响，要知道消极的东西、颓废的东西往往是最易被人接受的。现在的孩子发育早，李飞飞就属于特别早熟的那类孩子，对男女之间的事十分敏感，过早地处于饥渴状态，又完全对爱情无知，看《红楼梦》就以林黛玉自居，看《茶花女》就艳羡那个妓女，自觉地沉溺在不健康的伤感和自怨自艾的庸俗情感中，孤芳自赏，幽幽怀春。在班上，瞧不起衣着朴素的女同学，对那些能说会道、相貌英俊的男同学投以青睐，超出了男女同学的正常友谊范围。据我了解，她和社会上的一些不三不四的人也有交往，那些人经常放学时在校门口截她，有时正上着课，就到班上来喊她。她本人不以为耻，反以为荣。那些人中有一个叫吴志军的，原来也是我们学校的学生，毕业后就在社会上闲荡，李飞飞和他交了“朋友”。不仅如此，李飞飞的所作所为还影响、带坏了其他女同学，这点是我最气愤、最不能容忍的。我们班的班长周丕丽原来是个很好、很正派的女孩子，自从和李飞飞接触以后，思想也起了变化。本来我是派她去帮助、挽救李飞飞的，没想到她却被人家拉了过去，经李飞飞介绍，和吴志军一伙的另一个小流氓郑立平交上了“朋友”。

我多次找李飞飞谈话，指出她行为的错误，要她立即和那些社会上的人断绝关系。她开头还假装听，阳奉阴违，后来索性以一种厚颜无耻的态度对待我，称“既不影响学习，放学后爱干什么是个人爱好，老师管不着”。

我也曾多次就李飞飞的问题进行过家访，希望家长配合教育，可我的目的没达到。她那个父亲简直不像话，把自己女儿看成一朵花，十全十美，谁要说她女儿一点不好，立刻暴跳如雷，很粗野，有次居然拿棍子把我赶了出去，斯文扫地，李飞飞也愈发有恃无恐。她那个妈妈倒是管，我不知道你们接触过她没有，实在是个可怕的女人，集狠毒、愚昧于一身，冥顽不化。对一切人、事、物均采取极为仇视、恶谤的态度。自己孩子有了问题，不在自己身上找原因，把一切责任全推到老师、同学甚至社会身上。我找她一次，她找我十次，来学校大吵大闹、哭天喊地，活脱一个泼妇。我相当认真地怀疑她是否精神分裂，她的表现很难说是正常、有理智的行为，不论你多么心平气和、耐心说理，她永远是不可理喻的。对我来说，李飞飞不管出了什么事我都不会惊讶，不这样才怪呢！

你问我有没有李飞飞和吴志军交“朋友”的具体事实和证人？当然有，我哪会捕风捉影、乱说一气？要知道我是个教师，每说出一句话都要瞻前顾后、谨慎措辞，没有十分把握不说。现在的孩子都敏感得很、脆弱得很，一句话刺伤了他的自尊心，他就跟你闹个没完。

要说具体事实，我亲眼看见过李飞飞很晚在瑶台公园后山上和一个男人乱搞。那是去年的事了，也是这种很宜人的季节，月色很好，微风习习，唔，总而言之，一片很抒情的气氛啦。我看到李飞飞和一个男人沿着山路以一种很肉麻、很不含蓄的姿势蹑手蹑脚走上来，四处转悠着找黑不见人的地儿，后来就停在了我所在的那丛灌木外面。当然他们看不见我，他们在明处我在暗处，我隐蔽得很严实。噢，当时我是凑巧在那山上，纯粹是凑巧，决不是抱着和那些苟合之辈同样目的上的山，非常的正大光明，绝对地无可非议，我不想做过多解释。嗯，我说到哪儿了？噢，我看到了李飞飞和那个男人就在我咫尺之遥处开始窸窸窣窣摸索起来，接着……我实在找不着一个文雅的词汇言简意赅地把这件事的含义表达出来，我想你懂我指的是什么事。那女的是李飞飞无疑了，男的我应该承认我当时并不认识他，直到后来的某一天，我在学校门口遇到了正在起哄的吴志军，我才恍然……你懂我的意思吧？

9. 酱油坊中学初二（3）班学生沈萍：

我和李飞飞是同学、邻居、好朋友，我们从小就在一起长大，平时什么话都讲，什么事都不互相瞒着，所以，我觉得我比较了解她。

飞飞和蒋老师的关系并不是一开始就那么紧张。蒋老师刚来我们班的时候挺喜欢飞飞。蒋老师是教数学的，实事求是地讲，我们班同学都觉得蒋老师课讲得不好，就会照本宣科，一上课就在黑板上写一大堆练习题让我们做，她来回踱。同学不懂问她，她讲得也不耐心，多问几遍她就烦了，拿那几个学习好的说事，“怎么人家听懂了你们就听不懂。”有次飞飞做题解法跟她讲的不一样，判作业就判飞飞错了。上课时飞飞跟她争了几句，她把教鞭往讲台上一拍，沉下脸：“是听你的还是听我的？你比老师高明那你来教。”然后就对全班说，“有的同学很骄傲，很不虚心，这不是好的学习态度，做一个学生，首先要学会尊重老师。”不点名地批评飞飞，还把这事汇报上去，在全年级大会上又说了一遍，显得特没涵养。从那以后她就瞧着飞飞不顺眼了，仗着她是老师，动不动就冷嘲热讽，经常说：“老师就不喜欢两种人，一种：笨还不学；一种：叽叽呱呱，就显得她比别人聪明，老师也不放在眼里。”吓得飞飞也不敢提问了，可蒋老师还是老找她的碴儿。

飞飞爱和男同学说话，爱看书，老师就说她心浮，生活作风不严肃。飞飞长得漂亮，有些社会上的人就老在校门口截她。蒋老师不问青红皂白，不调查研究，就说飞飞和社会上的人鬼混，有时飞飞的哥哥来学校找她，也说成是流氓来找她。飞飞气得哭了好几次。蒋老师还去家里给人家告状，诬蔑人家，有一次飞飞她爸爸急了，差点揍她。听说蒋老师她爸原来是个国民党的官儿，所以她瞧不起我们这样工人家庭的学生，嫌我们家里脏，家长没文化，嫌分到我们这个中学屈才了。她不喜欢我们，我们也不喜欢她，故意跟她捣乱，气她，活该！本来这就是互相尊重的事，甭管你是老师还是什么，也不能拿人不当人，现在谁怕谁呀？像蒋大云这种人就不配当老师。

飞飞也是命苦，在家也受她妈的气，老挨她妈打。她跟我说她妈不是她亲妈，她是要的，我看她妈打她那狠劲儿也不像亲妈，亲妈下不了那手，比那中美合作所刽子手打人都狠。她妈对她比对哪路人都恶。不许她看书，看见就撕，什么都撕，我借飞飞的《红岩》都让她妈给撕了，真是法西斯。

飞飞不是那种轻薄的女孩儿，多少流氓跟踪着她，她理都不理，平时不找个伴都不敢上街。那些流氓真讨厌，什么下流话都说，什么下流事都干得出来。就我知道，有两个流氓老缠她，一个姓吴一个姓郑，缠得飞飞苦恼极了，又不能不出门，出门准碰上，惹又惹不起，躲又躲不开。我就说过，早晚有一天，飞飞非毁在他们手里。现在果然出事了，我想飞飞准被那两个流氓杀死了，你们应该立刻把那两个流氓抓起来审，他们一定知道飞飞的下落。

我不信飞飞会不打招呼自己跑到外地去，她不敢。她是个胆小的女孩子，小时候我们常在一起玩，抓拐、跳皮筋、跳房子，我经常利用她胆小吓唬她。有一次晚上她上公共厕所，我躲在门口，等她提着裤子出来就“呔”的喊了一声，当场就把她吓哭了。这些事就像昨天发生的，至今我一闭上眼还历历在目。

在我们这群女孩子中，数飞飞最懂礼貌、最乖、最脾气好，谁都愿意和她玩。小时候是我们俩最好，那时我们常常坐在她家或我家的门槛上，数着天上的星星说悄悄话。那时我们共同的心愿就是长大当女兵，当护士穿着干净的白大褂端着药盘轻轻地走在医院雪白的走廊上，为各种各样的病人打针喂药，对谁都不笑，除了我们喜欢的；我们都发过誓，长大了不结婚，男孩子里没一个我们看得上的，以后就永远我们俩在一起，谁也不离开谁；我们曾幻想过两个人同时爱上一个英俊的小伙子，他也爱我们，爱得发狂，但我们终于含泪拒绝了他；我们曾打算结伴远走高飞，走到天涯海角，采摘所有最美丽的花；我们偷偷写过诗：“让我们最后踱完／这沾满花粉的／紫色的荆丛。”我们喜欢孩子，老去街道幼儿园逗小孩玩，又互相约定一辈子不生小孩……

10. 瑶台公园派出所民警周至刚：

昨天下午五时，游人韩立克、黄薇报告公园湖内有一女尸浸浮，我偕同其他同志立刻赶往现场打捞。由于打捞及时，尸体还很新鲜。我当即认出是李飞飞，立刻通知了她家里，经其父母确认无疑。分局来人对尸体进行了检验，死者全身无伤痕；衣着整齐；处女膜完好无损；经推断，死亡时间为其失踪当夜；结论：自溺。

我认为，李飞飞的赴水自杀与吴志军、郑立平的流氓行为有显然的因果关系。李年仅十四，尚属未成年，平时表现一贯良好，忽遭坏人蹂躏摧残，必感痛苦，且其父母家教甚严，出此意外，深感有辱门楣，难获谅解，思想不开，因萌短见。

在今天开展严厉打击刑事犯罪的形势下，吴志军、郑立平竟还公然在光天化日之下劫持少女，致其不堪凌辱，饮恨而亡，实属情节恶劣。此事后果严重，民愤极大，应立刻予以从重从快之严惩，我已报请分局对吴志军、郑立平实施拘传。

这件事的发生，我负有不可推卸的责任，没能预见到后果的严重，从轻发落了吴、郑二人。又没及时把握住李飞飞的思想脉络，未能察觉出她情绪上的反常变化，采取有力措施，致使一个品学兼优、有着无限前程的年轻生命葬送了。我再次认识到，对犯罪分子的心慈手软就是对人民生命安全的不负责，我深引为自责。

11. 李飞飞的母亲王翠兰：

飞飞死了，是被坏人糟蹋死的。这孩子死得惨，死得冤，她才十五，不该死啊！我送她去火化时，她那脸上的表情似乎还在对我说：“妈，我不想死，我还没活够。”我就这么个女儿，生她的时候我难产，差点送了命，这些年来我费尽千辛万苦才把她抚养成人，原指望老了靠她——男孩子靠不住，娶了媳妇忘了娘——谁料她就这么轻于鸿毛地死了。

这几天我的眼泪都快哭干了，孩子她爸现在还躺在床上起不来。我这女儿漂亮、听话、规矩，平时说话总是细声细气。她是最小的女儿，可一点不娇气，在家里是我的好帮手。我在街道工作忙，三顿饭都是我这女儿做，她爸、我的衣服也都是她洗，从小没让我操过心。这孩子功课好，爱学习，邪门歪道的事从来不沾，没事就捧着书看，老跟我说：“妈，将来我要当女科学家，挣大钱让您享福。”天底下再上哪儿去找这么有孝心的好闺女？这孩子人小志大，听了张海迪的报告，回来就说：“妈，我也要当张海迪。”这孩子心软有同情心，有次我犯心口疼，在床上打滚，这孩子陪我流了一夜泪。

虽说我们家不是那豪门高干，可我扪心自问，我没亏待过她。吃鸡让她吃大腿，吃肉让她吃臀尖，宁肯我不吃，也不能让她吃个八成饱，龙肝凤胆咱不敢说，鸡鸭鱼肉也让她吃全了。从小到大，我没动过她一个手指头。有时她爸揍她，我为护着不知替她挨了多少巴掌。就为打孩子，我差点儿跟她爸离婚。我们这条胡同，女孩子也快上了百，可说实话，这么些女孩子没一个比得上我闺女，差远了。我怎么这么命苦，小时候爹让暴民打死，老了唯一的女儿又让流氓害死了。他们这不是孤立的、无缘无故的，是对我的阶级报复。我在街道工作，干治保，对那些小流氓从不留情，“严打”那阵儿，光经我手就送进监狱二三十人，他们对我是恨之入骨。我是不怕风吹浪打，刀山敢上，火海敢闯，枪顶在脑门上，眼睛不带眨一下。他们不敢碰我，就对我那可怜无辜的女儿下了毒手。

我坚决要求公安局严惩杀害我女儿的凶手，让他们偿命。那姓吴的小子我早就看他不是个好东西。他妈年轻时候就是个破鞋，六八年我们街道就批斗过她，现在她唆使儿子坏我女儿。

我丑话说在头里，这事要是你们不管，把那小子放了，我就去中南海喊冤，我就一头撞死在天安门的人民英雄纪念碑上，我和我老伴儿、我们全家一起去撞。别以为我不敢，我什么都干得出来。在我们社会主义国家里，怎么能让那些小流氓逍遥法外？对犯罪分子的放纵，就是对人民的犯罪。没有一个安定局面，老百姓怎么能安居乐业？不能安居乐业，“四化”建设又从何谈起？切不可再心慈手软啦！我拭目以待。

12. 酱油坊中学老师蒋大云：

李飞飞的惨死真令我大吃一惊，甚觉意外，继而悲从中来，十分难过。平心而论，我还是很喜欢这个孩子的，尽管她曾经令我十分失望。

我毫不怀疑李飞飞是遭遇凌辱，不堪忍受而死，没想到这孩子还很有些节烈骨气，倒是我从前错看了她。

李飞飞的死使我想到一个很严肃的问题，这个问题我早呼吁过，可没有得到各级领导的重视，现在看来，已经到了非管不可的地步，否则，李飞飞的悲剧还会重演，还会出现张飞飞、王飞飞，这就是各校普遍存在的流氓滋扰问题。

学校本是培养接班人，传授知识，陶冶情操之地。可从“文革”伊始，一些街道上的无赖之徒，长期觊觎校内的大批女生，施以小惠，腐蚀诱惑有之；纠缠不休，强行非礼有之；大打出手，聚众啸闹，当众侮辱亦不乏所见。轻则师生提心吊胆，学习分心，重则乌烟瘴气，校园秩序荡然无存，更有个别女生无力自制，堕入下流，走上绝路。

这些流氓的行为虽非杀人越货，但影响极坏，为害甚烈，毒化了社会气氛，使很多女孩子从小就失去了安全感，并为她们树立了坏榜样。对这些人，虽然公安局有时也抓，但抓了就放，不但不足威慑，反使他们更加变本加厉，终于今天出现李飞飞自杀这样的恶性案件。李飞飞一事明为自绝，实为受逼不过。无怪此事一出，女生纷纷泪下不止，莫不是同病相怜，感慨自身。有的女生已不敢来上课，有的则要求转学。这几天同学的情绪极为反常，仅仅靠口头抚慰已无济于事。作为老师，我要求公安局一定要抓住这件事，很刹一下社会上的不良风气，杀鸡儆猴，惩一诫十，绝不能再轻轻放过，否则不足以使人们恢复对党和社会主义的信心。是的，我就是要把这事提到这样一个高度来讲。于公于私，于情于理，吴志军和郑立平都无受到宽恕的理由。我代表全校师生及其家长坚决向你们提出这一请求：吴志军、郑立平必须受到严惩！他们必须对他们的罪恶行径引起的罪恶后果负责！为此我不惜向任何一级领导申诉——如果需要这样做的话。

身为教师，最大的悲哀莫过于亲眼看到自己喜爱的学生惨受摧折。我们勤勤恳恳、任劳任怨在教育这块园地上耕耘的目的是什么？难道是自身想得到些什么好处吗？谁都知道，在中国当一个中小学教师那就意味着清贫一生，我们的待遇是最菲薄的呀！同志，连一个清洁工都不如。社会地位嘛，就更不必说啦！不是有这样一句自古流传的谚语：“家有二斗粮，不当孩子王。”我们希冀什么？不就是希望能为我们的祖国多培养一些能干、有知识的人才？就像一个风烛残年、粗茶淡饭惯了的老牧人，他慈祥，百般体贴照料羊群的目的不是为了自己吃，而是为了给其他的、甚至是他素不相识的人献上又多又新鲜又可口的羊肉。我看天下最大公无私的也就是教师了！父母和子女还有个血缘上不可分割的关系，还指望个回报，教师和谁有什么？又有几个学生能在长大后还记着自己的老师？像对父母一样孝敬？不说了，想起这些我就心酸。李飞飞是个好孩子，我一向看重她，在她身上花费的心血比对哪个孩子都多，就这么付诸东流了，真令人伤感。我敬佩她那种同邪恶作殊死争斗的无畏气概；敬佩她那视死如归、宁折不弯的勇气和决心；小小年纪如此刚烈，真真难能可贵。我准备向学校建议，对李飞飞进行表彰，号召全体女同学学习李飞飞的精神。

我知道，对李飞飞同学的平时表现有一些流言飞语，有一些别有用心的人造了一些谣，但我是不信邪的，绝不动摇对李飞飞同学的一贯看法。

李飞飞同学的行为无可指摘，是个品学兼优的好学生，她的优点和长处表现在各个方面：她有强烈的求知欲和探索精神，在学习中力求发挥自己的独创见解，从不人云亦云；同时又是尊重老师的典范，对老师善意、正确的指导，欣然接受，赢得了所有老师的信任。我不懂，为什么共青团始终把这样好的同学拒之门外？

我不能接受李飞飞曾和一个男人在瑶台公园后山鬼混的说法，这是中伤。据我所知，李飞飞从未和可疑男性交往过。

13. 在押人犯吴志军：

我冤枉，冤死了，李飞飞的死不能赖我，跟我没关系，她根本不是被我糟蹋了想不开去投河的，这是哪儿跟哪儿呀？您们是法律的化身，可不能偏听偏信，使无辜的人受到不公平的惩罚。我承认，她死前的那天晚上，我们在瑶台公园有过接触，那之前我们就认识，也不止一次在瑶台公园约过会，她是自愿跟我好的，我也只是跟她拉了拉手，并没摸过她哪儿。我在派出所之所以那样说，是周师傅逼的。他说我要不承认有这回事就不放我回家，把我送分局处理，他还给我上铐子，联防队的赵师傅、钱师傅都在场，是他们说的亲眼看见我摸李飞飞。我说没有，他扇我大嘴巴，扇得我脸都肿了。他们抓住的是周丕丽和郑立平，我和李飞飞是自个儿走出来的，要不是我们自个儿走出来，他们还抓不着我们，怎么会看见我们在干吗？我不敢分辩，怕挨打，联防民兵打人太狠。他们打我，周师傅就在旁边看着抽烟。我不承认他们就不歇手，我只好顺着他们胡说一气，拣他们爱听的说。他们本来还要逼我承认和李飞飞发生了性关系，我知道一承认了这个，性质就变了，所以死也没承认。我有错误，不该挨点打就胡说，给您们的工作带来不必要的波折，可我现在说的的确是实话，我不敢拿自己的前途开玩笑。

我和李飞飞是今年四月份交的“朋友”。郑立平和周丕丽家住街坊，他们俩早就偷偷好上了，他净把周丕丽带到我家玩，还对周丕丽说：“看我们这哥们儿孤单单的多没劲，还不给他发一个。”周丕丽问我看上哪个女孩儿了，她帮我去说。我说老跟你在一起的那个女孩儿不错。周丕丽就说：“她呀，行！”没两天，她就把李飞飞带来了。我问李飞飞愿不愿意和我交朋友，她说看我的啦，我说那没错，当场就请她吃了回包子，吃完包子出来，她小声对我说：“我只有一个要求，这事你别传出去，要叫我家里知道不得了。”我说放心，要叫别人看见，你就说我追你得了。

可这事还是传了出去，她的一个女朋友，姓沈，还给她写了封信，叫她不要跟我好，信的具体内容我忘了，她拿给我看过。你们找着那个姓沈的，她可以作证。她们班老师也知道，还为这事找过她谈话，飞飞就按我们说好的对外说我追她，她没答应，不愿意，其实她是愿意的，那么说只是遮人耳目。飞飞她妈太厉害了，那整个是个母夜叉，我们酱油坊大街有了名的，骑在老公身上打，谁也惹不起。对不起，我不该说别人的坏话。

检察院的师傅，我是相信你们，才跟你们说的实话，你们可要给我做主。我不是坏人，您们去街道、学校了解了解，我在学校是三好学生，这之前压根儿不知道派出所的门朝哪儿开。我悔不该过早谈恋爱，谈出灾来了，我接受教训，以后见女的，就躲得远远的。你们可不能给我判大刑，我冤枉，我还年轻，将来日子还长着呢，判了刑我就毁了，呜呜。我怎么这么倒霉？鸡肉啥滋味一点不知道，倒让人当成偷鸡的黄鼠狼给办了。

李飞飞也真是可怜哪，普天下就这么一个真心对她好的人，还因为她，给害了。你干吗非得死？简直是存心坑人，你还叫我以后敢不敢再相信别人？你要真是还念着点我替你背黑锅的好处，就给检察院、公安局的师傅们托个梦。这事要换了你们中的谁摊上，你们窝囊不窝囊？着急不着急？

我猜不着李飞飞为什么要去死，又偏偏非在那天晚上死。周师傅单个把她带进一间小屋里审了两个钟头，谁知道他对她说了什么，干了什么？噢，许你们乱猜不许我猜？进派出所的时候飞飞还满不在乎无所谓呢，出来可就大大变了副模样：眼中噙泪，鬓发散乱，低头不语，精神恍惚。我不知道发生了什么事，我也不敢想，那不是罪上加罪吗？我就知道，她不是为我怎么着她了去死的。说了你也不信，瞅我这德行不像个好人吧？正经是个好人，恪守道德，要依着李飞飞，我们……咳！

我恳请你们秉公执法，下点工夫，深入细致地做一番调查。那天晚上，除了我，还有谁跟李飞飞接触过？她半夜离开派出所后去哪儿了？是不是真的怀着对我的满腔悲愤去了那个骚狐狸周丕丽家？那个丫头不是个好货，她和郑立平狼狈为奸，什么坏事都敢干！

14. 在押人犯郑立平：

李飞飞的死怎么能算我的错呢？我冤枉。我和李飞飞本来也没什么关系，要抓一个祸首，单抓吴志军得了。其实我和周丕丽早就认识，从小就在一起玩，七岁时就亲过嘴，她穿开裆裤的样我都见过，想干什么也用不着非七月十五日上瑶台公园后山去干。周丕丽也真是没良心，看我遭了难，不说拉一把，反而落井下石，又奔我扒着井边的手踩了一脚。她也不想想，我上次之所以那么说，都是被逼的，白请她吃过那么多鸳鸯冰棍了。

那天，联防民兵一发现我们，就说我们是流氓，抬手就打，一路打到派出所，进了门关上门接着打，两三人夹着我一人打，一脚踹我肾上，踹得我现在五分钟就得上一趟厕所。非说我摸了周丕丽，我摸她干吗？她比我这鸡胸都平，我想摸也没有啊，刑法上叫犯罪不能。非叫我说，一五一十，详详细细，兴趣那叫一个浓，就好像听那黄色小说的立体声。我不想叫他们打残废了，只好说，诌呗，反正这事又不是多么复杂的操作，没吃过猪肉，还没见过猪跑吗？说了足有两小时，满意了把我放了，好，现在就成真的啦，我就成犯人了，我上哪儿说理去？

我承认，李飞飞是我通过周丕丽给吴志军介绍的，可我哪管得了他们俩后来又出什么事？要是带这么刨根儿的，婚姻介绍所的那帮红娘不全得判？再说，李飞飞死了，她是为吴志军摸她一把就摸死了吗？单这事她乐着呢。那姑娘浪，浪得很，这么大点年纪就别憋出了一脸色疙瘩。我刚跟周丕丽有点那个意思时，她见了我面就跟我起腻，哭着喊着让我给她介绍吴志军我本来不愿意管，又怕她真得个青春型的精神病——她已经有症状了，哀哀怨怨，凄凄惨惨。周丕丽也帮她说好话，我一想，既然这样，那咱就救她一回急吧，正好我们哥们儿也素得厉害，就答应了。头一回见面您猜怎么着？俩包子一进肚，立刻就跟吴志军进屋关了一下午，干什么不清楚，光听屋里咯咯乐得像个正下蛋的母鸡。不光这些，还有哪，这李飞飞不单是跟吴志军一人有猫儿腻，她跟过的爷们儿我瞅见就不下三个。有次我听我爸说，他有天晚上在瑶台公园后山还瞧见过李飞飞和一个男的在一起。不是吴志军，反正也是我们胡同的一个坏小子，我爸没仔细瞧，怕她不好意思。这事我都明戏，我们家是个比较民主的家庭，我们爷儿俩互相谁也不瞒谁——我能理解他那年龄人的苦恼——就瞒我妈一个人。这事我跟吴志军说过，我不能看着我们哥们儿挨涮。他不信，说我胡编想挑着他们吹了自个儿去勾搭李飞飞，真把好心当成驴肝肺，我勾搭李飞飞干吗？我们周丕丽不比她强百倍？我知道吴志军为什么不在乎，他也不是省油的灯，他本来跟李飞飞也不过是逢场作戏，起起哄，一块儿玩玩，他又勾搭上了李飞飞的一个同学，叫沈萍，正变着法儿跟人家表白他跟李飞飞没关系。那姓沈的女孩儿和李飞飞是死对头，互相嫉妒，她要知道吴志军和李飞飞好过，准跟他翻脸。

不假，李飞飞是有点活腻味了，没法儿不腻味！她那妈、那老师见天轮番转着圈儿骂她、寒惨她，什么难听说什么。老舍先生遭了挤对，知道一头扎水里，何况她了。

要逮该逮她妈，逮那个四眼狗蒋大云，问问他们是怎么逼得一个好端端的女孩子满脑子寻死的念头儿。

那天，她是怕她妈饶不了她。周师傅真要满世界给她筛锣去，她妈和蒋大云还不得一人扒她一层皮？是那两个满口革命词藻、一肚子稀狗屎的老泼妇吓坏了她，使她觉得在劫难逃。抓就抓真正干了坏事的人何苦拿我们小屁孩当替罪羊。噢，什么都是我们造成的，别人都是好人，就我们一帮小流氓在扰乱社会治安，把个清平世界搞个鸡犬不宁？要真这么简单事情倒好办了，把我们全抓起来毙了，齐了。要真能如此换得了个朗朗乾坤，我甘愿做出牺牲、含笑走向刑场。不成，不是这么回事，偷驴的没逮着，逮那拔橛的不管用。有蛔虫打蛔虫，光治脸上的斑，涂多少霜也是瞎耽误工夫，这么简单的道理，我都明白，怎么你们就不明白呢？

把话说明白，权当“四人帮”还没打倒，我就帮你们检察院、公安局一个忙，让你们有个交代。

15. 周丕丽：

我承认我上次说了假话，都是他们逼我说的。郑立平没摸我，他们非逼我承认摸了，说“郑立平都承认了你还有什么不承认的？”我只好承认了，当时觉得承认了也没什么。他们还叫我承认是郑立平他们截我们，说“不承认就把你们当流氓送去劳教，承认了就没你们的责任了”。我害怕，就按着他们的说了。我不该诬陷别人，犯了诬陷罪。你们可千万不能判郑立平，他没有侮辱我。我们早就认识，他对我也挺好，老给我买鸳鸯冰棍，从不动手动脚，连亲都没亲过我，他是好人。吴志军我不管，他那人平时就爱说下流话，粗俗不堪。他老想让我给他介绍李飞飞，我觉得他不配，没管，他却腆着脸去找李飞飞，非说是我给他介绍的，李飞飞不干，他还要打人家，满处说李飞飞同意了，李飞飞是他“媳妇”，制造影响。七月十五日那天，本来是我跟郑立平约好的，他跟着去了，一看见李飞飞就像苍蝇似的轰都轰不走，闹得飞飞人不是人、鬼不是鬼，惹了身臊，说不清楚。

那天一被民兵抓住，李飞飞就吓坏了，去派出所的路上就跟我说：“进去怎么办？可能半个月都不会放。”我说：“不能讲真的，就说咱们和他们不认识。”她说：“不讲真的不会放。”审完出来，她还问我签字了没有，我说不签字怎么行。她就哭了，“签字等于承认和人乱搞了，我妈知道，我就甭想活了，蒋老师也该得脸了，不知会说出什么难听话，说不准她还会把我想法儿送进工读学校。”

从派出所放出来后，她不敢回家，我也不敢回家。上次我说的到我家去，我爸爸、妈妈奔丧去了，都是胡编的，没那回事。我姥姥好好地在河南老家活着，除了耳聋眼花没别的病。《红旗谱》朱老忠他姐什么的也都是瞎说，根本没提那一段儿，也没提吴志军、郑立平伍的。我们在湖边找了片草坪躺下，飞飞一直没停唠叨她妈和蒋老师，说到伤心处，就哭起来，边哭边老重复一句话：“完了，完了。”我知道她平时很怕她妈和蒋老师，蒋老师一吼她，她都能吓个哆嗦。飞飞在我们班表现不错，按说当个团员差不离，好几次团员发展会，我提了她名，都被蒋老师否决了。她就因为有次在课堂上顶了蒋老师，所以蒋老师恨她，连我和她接触，蒋老师都批评过我，她容不得不听她话的人，我想后来她也开始恨我了。

飞飞不停地念叨："完了，完了。"像是着了魔，两眼发直，盯着湖面出神。

我很不安，劝她："何必呢？干吗老想这件事？我就不怕，没什么了不起的，我可不怕！大不了转个学。家里骂骂当然会骂骂，总不会不给饭吃。"

李飞飞说："我跟你不一样。"

"怎么不一样？"我问。

"你不懂。"她说，接着又去盯那湖面，目光瘆人。过了会儿，她问我带笔没有？我说带了，掏出圆珠笔给她。她又开始在自个儿身上找纸，摸出张小纸片。我问她想干吗，她说不干吗，有些话想记下来。我知道飞飞有时爱写点小诗，也许她此刻有很多感触，便没往心里去。飞飞准备好了纸和笔，没写，继续发呆。这时已经是后半夜了，天已经有点凉了，我也有点困了，便不知不觉睡着了。

我醒来，草坪上只剩下我一个人了，笔压着纸放在我身旁，飞飞无踪无影了。我没听见水响，一切都是静悄悄的，只有树林飒飒作响，湖水像我入睡前看到的那样，波光粼粼，平滑如绸。我感到了发生过什么事，不禁哭了。我没想到飞飞怕她们怕成那样，宁肯死也不愿再见到她们。我后悔自己睡着了，没能阻止她，干吗要这时睡？这些日子，我天天晚上做噩梦，梦见飞飞站在我面前哭。她是聪明的，我还不如跟她一起走。现在我的班长也给撤了，课也不让我上了，蒋老师一天到晚拿我当例子教育其他同学，还让我在全班做检查，全班做完，全年级做，全年级做完全校做，全校还通不过，还要开除我。飞飞她妈也把我当仇人，那次上公共厕所碰到她，她把我脸抓得全是血道子，要不是别的大婶拦着，她能把我塞茅坑里淹死。我爸妈还没回来，回来不定什么样，现在我哥就一天打我三顿，说我不要脸，我真羡慕飞飞，还是她省心，我干吗那么傻，这么活着有什么劲？要不你们把我判了顶罪吧，我想监狱的日子也比现在好过。

16. 酱油坊中学学生沈萍：

我的确给李飞飞写过一封信，这事既然你们已经知道了，我也不想再瞒了。

去年 11 月，我去“天光”电影院看电影，散场时看见李飞飞和周丕丽的哥哥周丕阳一起勾肩搭背地走。后来我问她是不是和周丕阳好了，她不承认。又有一次我去周丕丽家，撞上她和周丕阳躺在床上……穿着衣服，这次她不否认了，说是周丕丽让她和她哥好的。我当即劝她要留心，周丕阳是有名的花贼，小心上当。她说没事，她不是傻子。没过多久，有天她哭着到我家来说，周丕阳欺侮她后不理她了，她去找，周丕阳就骂她，还动手打她。我说我早说过，你不听，现在后悔了吧？事到如今有什么办法，周丕阳是流氓咱们别惹他，吃个哑巴亏算了。当时李飞飞要叫人打周丕阳之类的气话说了一大堆。今年四月，我偶然发现李飞飞又跟周丕阳混在一起，两人坐在冷饮店里喝酸奶，有说有笑。我回去就给李飞飞写了封信，上课的时候交给了她。她看完没说什么，也没看我，下课见了我就当没有这回事。我在那封信里写的都是规劝她的话，大意是：你为什么要同一伙不三不四的人在一起？你滑到崖边，危险啦！赶快悬崖勒马，否则就要身败名裂！你现在的行为很卑贱，不是我一个人这样认为，所有知道你的行为的人都会这样认为。好事不出门，坏事传千里。早晚有一天，你偷偷摸摸干的那些事，会被人家知道，那时你就会面临千人唾、万人骂的悲惨境地，那时看你还如何为人！……如此等等。

我没想到我给她写的这封信会带来这么严重的后果！我发誓我是好意，我当时想她看了信会猛省，要是我知道这反而会促使她走上绝路，我怎么也不会写这封信。她需要的不是严词训斥，而是温暖的关怀，我写了这封信反而使她疏远了我，更快、更深地倒向了那伙人。我真后悔，是我杀了她，要是我能替她多好，现在说什么也晚了，再自责、再流泪也没用了。不，我有责任……

还有一个人必须对飞飞的死负责，那就是周丕丽。此时此刻，我无法按捺我对她的愤怒，正是她，促成了飞飞的毁灭。她是个卑鄙、阴险的人，其邪恶远远超过了其年龄，你们都被她骗了！

她所说的一切关于李飞飞自杀前后的表现及因何自杀的契机全是谎言，没一句真话。所谓李飞飞和吴志军的暧昧关系只不过是隐瞒真相施放的烟雾，甚至飞飞母亲的虐待和蒋老师的苛刻也不过是一个谎言不灵后又编出来的神话。这些只是飞飞致死的一个因素，但绝不是关键性的因素。我看过飞飞留下的遗书，我怀疑那不是出于她本人自愿写下的东西，也许都不是她自己写的。我这么怀疑是有根据的，周丕丽是个能模仿他人笔迹的人，模仿他人笔迹是她的擅长和嗜好，她平时就经常模仿她父亲的笔迹给自己写事假条，这事我们班同学全知道。

李飞飞死前的那个夜晚只有她一人在场，究竟当时发生了什么，李飞飞说了些什么我们都无从知道，只有听信她一人的一面之词。可以想象当时李飞飞向她倾诉了不想活下去的原因，而这个原因牵涉到了她的哥哥周丕阳必然如此。她为了掩饰这点，保护她的哥哥，当然也是为了保护自己，她很清楚一旦事情真相泄露出去，会有什么后果等着他们兄妹，便在飞飞死后，模仿飞飞笔迹写了那样一张条子。我不信她在当时那种情绪激动的态度下能入睡，她不可能感觉不到李飞飞的反常，她是个敏锐、近似于妄想型的人，哪个男孩子多看她一眼，她都能立刻猜到人家想跟她结婚，李飞飞的死她怎会一点没有察觉。也许她只是在装睡，偷偷看着李飞飞一步步走向湖心，然后翻身坐起，用自己的笔在纸上写下那么一些话，意在把侦查引入歧途。那些话不是李飞飞的风格，李飞飞不可能说那样的话。倒是周丕丽自个儿，尽管长得跟丝瓜似的，一门心思想嫁给外国人，也不管人家看得上看不上她，有没有艾滋病，就“去过那美而幸福的生活”。

如果你们认为我的话是出于什么不可告人的动机和目的，我可以提出一个证据证明我不是在说瞎话。事发之后，周丕丽到处跟人说，周丕阳如何打她、骂她，实际上，这是他们兄妹在人前故作姿态，私下他们好着呢。

17. 瑶台宾馆服务员周丕阳：

我根本不认识李飞飞，更谈不上曾经玩弄过她。

我今年 28 岁，已经结了婚，有老婆，有孩子，平时很少回家住。

况且，我因和丕丽年龄相差较大，从不和她那些同学说话。在我看来，那些胸脯平平的女学生还是孩子，尚未完全长开的孩子。

我和我妻子很和谐，很美满，要说有什么美中不足的话，就是她趋于亢进，我趋于疲软。如此彼长此消，我抖擞精神全神贯注尚不能旗鼓相当，哪会余兴他顾？我没做亏心事，不怕鬼叫门，你们可以敞开去找任何人调查，若能找出一星半点证据，我便认罪伏法，总不能凭一个情绪激动的小姑娘的一席话，就把一个规矩、正派的公民投入监狱吧？你们应该看出来，由于好朋友的死亡，沈萍已经丧心病狂了。

我理解，我能够原谅她，这种事情搁给谁都要受刺激。

丕丽在这件事上的责任很清楚，我一点不想为她开脱，我已经严厉管教了她。的确，我妹妹有很多缺点，用难听话说就是：太骚。

我们家的人都是很胆小、很腼腆或者可以说是很保守的，我父母的行为从无逾轨，堪称模范，我也不明白土豆地里怎么长出了颗枣儿，还是这么个歪瓜裂枣儿。是不是现在就是这么个风气？不要脸时髦？不会打情骂俏，不会胡搞男女关系就不算是具有现代意识？属于比较高的层次的人才配有这份情趣？

我很困惑，不能宽容，受到挤压，想要寻根，深刻反思，也许我太需要更新观念了。

我看你们在这件事上都犯了错误。

出于本能，你们总想找出一个要对这件事负责的人，换言之，你们总想找出个罪魁祸首。不是我说话难听，正是你们这种陈旧、封闭的思维逻辑导致了你们徒劳地奔忙，而又一无所获。这难道不是明摆着的吗？我也不多说了。

在我看来，这件事如果非要找出个负责的人，那这个人就是李飞飞本人。她不想活了，死了，那完全是她自己的事。她既然这么干了，那就说明她自己也很乐意承担责任，说明她没有想去怪罪别人，否则她完全可去申诉、去控告那些为难她的人。

仁慈、正义感十足的中国人们，哪个不会为她撑腰、为她大声疾呼？

这是个没有罪魁的案子，是所无主房，所有人都是清白无辜的，你不能因为人们的某句失言、某个欠妥的行为就要求他对某件意外的事承担刑事责任。当然，你们也得交差。

大顶子区人民检察院

起诉书

〔84〕大检诉字 111 号

被告人吴志军，男，十七岁，原籍浙江省普陀县人，系本市待业青年，住本市大顶子区烧酒胡同五号，因流氓罪，于 1984 年 9 月 18 日经大顶子区人民检察院批准，由大顶子区公安分局逮捕，现在押。

被告人吴志军劫持、侮辱少女致死人命一案，由大顶子区公安分局侦查终结，转送大顶子区人民检察院，依据《刑事诉讼法》规定，由本院审查起诉，经审查证明，被告人吴志军犯罪事实如下：

被告吴志军，于 1984 年 7 月 15 日晚 7 时与待业青年郑立平在本市瑶台公园旱冰场滑冰。8 时离开旱冰场后，行至“母与子”塑像旁，见被害人李飞飞和其同学周丕丽正在散步，遂起淫心，与郑立平采取强制手段将李、周裹胁、劫持至瑶台公园后山，在公园后山被告对被害人李飞飞实施猥亵（搂抱、摸乳等），后被联防民兵发现，扭送派出所。当晚，被害人由派出所护送归至周家，在周家被害人惧耻痛哭，认为名誉已无法挽回，决意一死，并于次日凌晨 2 时许乘周熟睡，出走投湖溺水亡。

被告人吴志军在光天化日之下劫持、侮辱少女，造成严重后果，已构成流氓罪。本院为维护社会秩序，保护公民人身权利不受侵犯，根据《刑法》第一百六十条的规定，特提起公诉，请依法惩处。

18. 吴志军流氓案的辩护词

大顶子区法律顾问处律师段力

审判长、人民陪审员：

中华人民共和国人民法院组织法第八条、刑事诉讼法第二十六条都明确规定：被告人有权获得辩护。据此，我受被告人吴志军的委托，担任本案的辩护人。我将依照刑事诉讼法第二十八条“根据事实和法律，提出证明被告人无罪、罪轻或者减轻、免除其刑事责任的材料和意见，维护被告人的合法权益”之规定，履行我的职责。

通过阅卷，会见被告，查访必要的证人及方才又听了法庭调查，首先，我就起诉书的部分事实情节，提出几点意见：

1. 起诉书所载“采取强制手段将李、周裹胁、劫持至瑶台公园”一节不尽确切。通过法庭调查及证人证言可以看出，被告与被害人早就相识并据被害人生前陈述，七月十五日晚原是她与被告定好的约会，既是定好的约会，被害人又是自己到达约会地点，那就说明被害人当时并无推拒不从之意，再者当时公园游人众多，被害人若有不从，可以呼救；被告也并未用语言和凶器胁迫被害人不得声张，搂颈而行应视为亲密举动而不是强制手段。我要特别指出的是证人周丕丽和郑立平关于这一事实的证言是前后矛盾、彼此矛盾的，孰真孰伪很难确定，因而，在尚无其他新的、有力证据出现前，“裹胁、劫持”与否不能认定。

2. 起诉书认定被告曾在公园后山对“被害人李飞飞实施猥亵（搂抱、摸乳等）”，从全部案卷和法庭调查看，这一认定的依据仅是被告第一次口供，而这一口供被告在检察院审查时已推翻，并说第一次之所以如此供述，是因为受到讯问人员熬打，鉴于这一事实只能由被害人证实而被害人已经死亡并在生前陈述时否认了这一事实，我认为起诉书的这一认定不能成立。

在李飞飞自杀死亡一案中，究竟怎样判明被告人应当承担什么责任，这要依据中华人民共和国刑法规定行事，无论如何，也要恪守“事实为依据，法律为准绳”这一基本原则。不可凭主观想象，不可感情用事。我本着这一宗旨倾听了公诉人的公诉词，经过冷静思考和仔细分析，我对本案与公诉人有着不同的观点。

1. 被告是否曾进行了流氓犯罪活动使李飞飞感到痛不欲生？

从我们了解到的事实看，当联防民兵抓住郑立平和周丕丽后，李飞飞与被告是主动从未被察觉的地方走出来进行解劝的。如果当时被告是在进行流氓犯罪活动，为何不逃避，反而自投罗网？李飞飞为何又不立即控诉反而同被告一起进行解劝？显然无论是被告还是李飞飞当时都认为自己的行为是正当的、不受干涉的。

2. 李飞飞之死是否与被告的行为有刑法上的因果关系？

从证人周丕丽的证言看，七月十五日晚李飞飞从派出所出来后，并未对被告有只字片语的悲愤言辞，相反，引起其悲泣不止和绝望情绪的是怕“材料要装档案，还要向学校和家长反映。用不了几天,所有人都会知道……不如死了好”。她妈妈和蒋老师“没事还老找事，这回有事了，她们还不知会怎么样，我算是完了”。很显然，是担心得不到其母和老师的谅解，无法洗清进派出所这件事本身，也再次证明了她在此时仍认为自己行为正当，只是一经派出所处理、反映出去就说不清了，正是这种对一向待她粗暴的母亲和对老师的根深蒂固的恐惧（这点可以通过其他证人的证言证实）才使她决意去死。她在遗书上这样写道：“父母亲大人，我要永远永远离开你们，远走高飞，去过美好而幸福的生活。”

这才是这场悲剧唯一、确实的原因！

确实，得出这样的结论是极为令人不愉快的，甚至会令某些人失望而某些人愤慨，我这样做的目的也不是为了袒护某人而指责另一些人，我只是要判明事实，分清责任，使无辜的人不因他不该承担的责任而受到惩罚，感情用事会导致错判的发生，我想这都是我们大家所不愿看到的，同时，也是法律上所不允许的。

综上所述，我认为对被告追究刑事责任，没有法律上的根据，法庭应宣告被告人无罪。谢谢审判长。

19. 大顶子区人民法院刑庭庭长：

现在开始宣判……

（原载《文学故事报》1988 年）

王朔主要作品年表

【1978年】

《等待》（短篇小说）发表于《解放军文艺》第11期。

【1982年】

《海鸥的故事》（短篇小说）发表于《解放军文艺》第8期。

【1984年】

《空中小姐》（中篇小说）发表于《当代》第2期；

《长长的鱼线》（短篇小说）发表于《胶东文学》第8期。

【1985年】

《浮出海面》（中篇小说）发表于《当代》第6期。

【1986年】

《一半是火焰　一半是海水》（中篇小说）发表于《啄木鸟》第2期；

《橡皮人》（中篇小说）连载于《青年文学》第11、12期。

【1987年】

《枉然不供》（中篇小说）发表于《啄木鸟》第1期；

《人莫予毒》（中篇小说）发表于《啄木鸟》第4期；

《顽主》（中篇小说 ）发表于《收获》第6期。

【1988年】

《痴人》（中篇小说）发表于《芒种》第4期；

《人命危浅》（中篇小说）发表于《蓝盾》；

《毒手》（短篇小说）发表于《警坛风云》；

《我是狼》（短篇小说）发表于《热点文学》；

《各执一词》（短篇小说）发表于《文学故事报》；

中篇小说集《空中小姐》由中国青年出版社出版。

【1989年】

《一点正经没有》（中篇小说）发表于《中国作家》第4期；

《千万别把我当人》（长篇小说）连载于《钟山》第4、5、6期；

《永失我爱》（中篇小说）发表于《当代》第6期；

长篇小说《玩的就是心跳》由作家出版社出版。

【1990年】

《给我顶住》发表于《花城》第6期；

《王朔谐趣小说选》由作家出版社出版。

【1991年】

《我是你爸爸》（长篇小说）发表于《收获》第2期；

《修改后发表》（中篇小说）发表于《小说家》第4期；

《无人喝彩》（中篇小说）发表于《当代》第4期；

《谁比谁傻多少》（中篇小说）发表于《花城》第5期；

《动物凶猛》（中篇小说）发表于《收获》第5期。

【1992年】

《你不是一个俗人》（中篇小说）发表于《收获》第2期；

《懵然无知》（中篇小说）发表于《都市文学》；

《许爷》（中篇小说）发表于《上海文学》第4期；

《过把瘾就死》（中篇小说）发表于《小说界》第4期；

《刘慧芳》（中篇小说）发表于《钟山》第4期；

《千万别把我当人：王朔精彩对白欣赏》（王朔、魏人合著）由人民中国出版社出版；

《过把瘾就死》（著名作家新作大系）、《王朔文集》（纯情卷、矫情卷、谐谑卷、挚情卷）由华艺出版社出版；

《我是王朔》由国际文化出版公司出版。

【1993年】

《海马歌舞厅：四十集电视系列剧》（电视剧本选集）、

《青春无悔：王朔影视作品集》由中国社会科学出版社出版。

【1995年】

《王朔文集》（1—4卷）由华艺出版社出版。

【1998年】

《王朔自选集》由华艺出版社出版。

【1999年】

长篇小说《看上去很美》由华艺出版社出版。

【2000年】

《美人赠我蒙汗药》（对话集）由长江文艺出版社出版；

《王朔最新作品集》由漓江出版社出版；

《无知者无畏》（随笔集）由春风文艺出版社出版。

【2001年】

《文学阳台——文学在中国》、《美术后窗——美术在中国》、《电影厨房——电影在中国》、《音乐盒子——音乐在中国》等“文化在中国”网站系列丛书由上海文艺出版社出版。

【2003年】

王朔文集（包括《顽主》、《过把瘾就死》、《我是你爸爸》、《玩的就是心跳》、《篇外篇》、《橡皮人》、《千万别把我当人》及《随笔集》）由云南人民出版社出版。

【2007年】

小说集《我的千岁寒》由作家出版社出版；

长篇小说《致女儿书》由人民文学出版社出版；

小说随笔集《新狂人日记》由长江文艺出版社出版。

【2008年】

长篇小说《和我们的女儿谈话》第一部发表于《收获》第1期，并由人民文学出版社出版。

图书在版编目（CIP）数据

谁比谁傻多少 / 王朔著. — 北京 ：北京十月文艺出版社，2016.6
（王朔文集）
ISBN 978-7-5302-1566-1

Ⅰ. ①谁… Ⅱ. ①王… Ⅲ. ①中篇小说—小说集—中国—当代②短篇小说—小说集—中国—当代
Ⅳ. ① I247.7

中国版本图书馆 CIP 数据核字（2016）第 057112 号

谁比谁傻多少
SHUI BI SHUI SHA DUOSHAO
王 朔 著

出 版 北京出版集团公司
北京十月文艺出版社
地 址 北京北三环中路 6 号
邮 编 100120
网 址 www.bph.com.cn
发 行 新经典发行有限公司
电话（010）68423599
经 销 新华书店
印 刷 北京盛通印刷股份有限公司
版 次 2016 年 6 月第 1 版
2022 年 10 月第 11 次印刷
开 本 850 毫米 ×1168 毫米 1/32
印 张 8.75
字 数 185 千字
书 号 ISBN 978-7-5302-1566-1
定 价 42.00 元
质量监督电话 010-58572393